現代ヨルダン・レポート

アラブの女性たちが語る 慣習・貧困・難民

佐藤 都喜子

名古屋外国語大学出版会

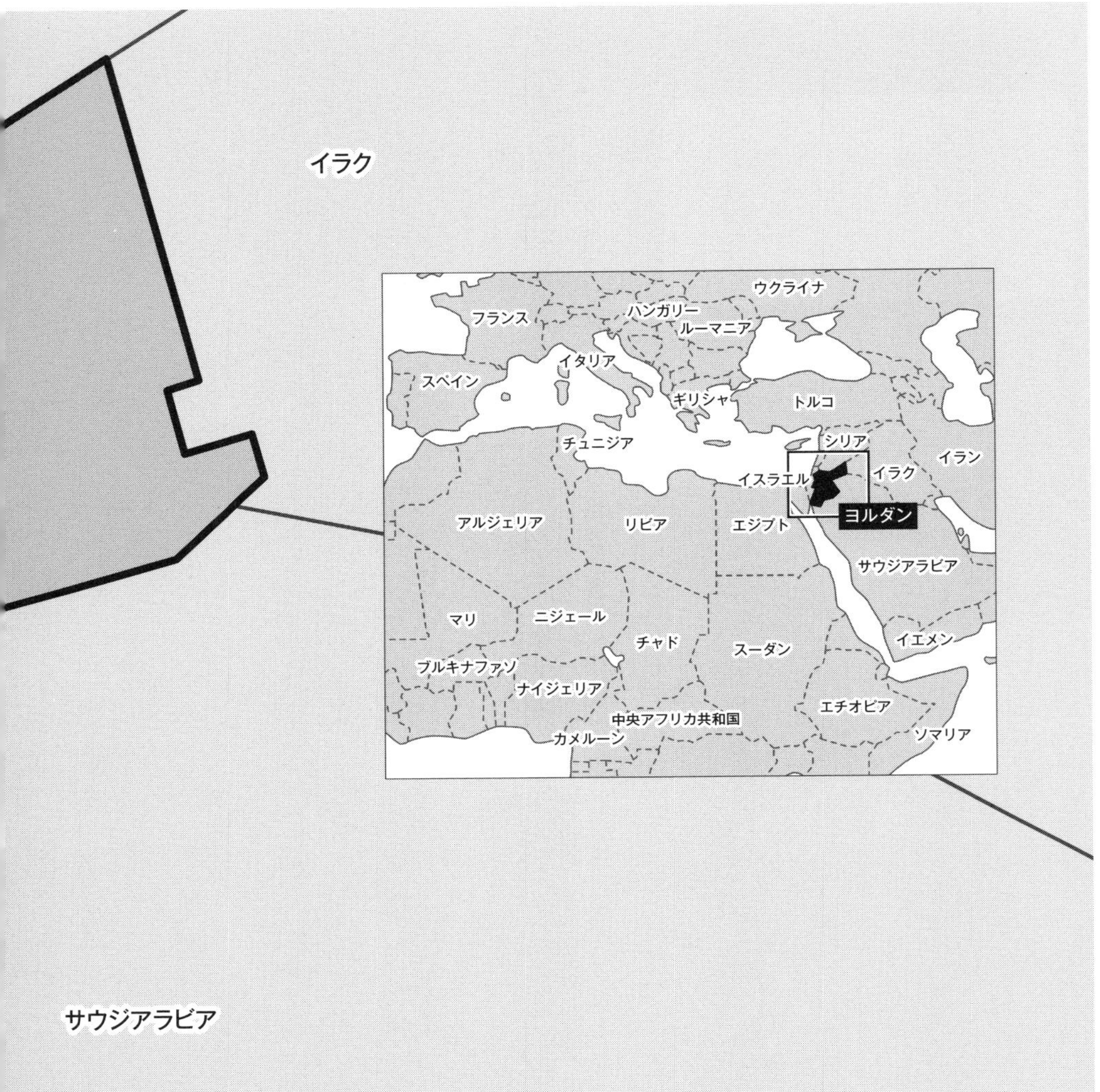

ヨルダン基礎情報

人口：10,960,897　（2021年8月8日現在）（ヨルダン統計局）

民族：大半がアラブ人（2010年から2020年までに人口が約400万人増加した。シリア難民流入が大きく影響している）

言語：公用語はアラビア語だが、首都アンマンでは英語も通用する。

宗教：国民の92%がスンニ派イスラム教徒で、それ以外はキリスト教徒、シーア派イスラム教徒、ドルーズ教徒　（ヨルダン観光局）

平均寿命（男）：72.8（2016年）（ヨルダン保健省）
　　　　（女）：74.2（2016年）（ヨルダン保健省）

合計特殊出生率：2.7（2017-2018年）（ヨルダン統計局）

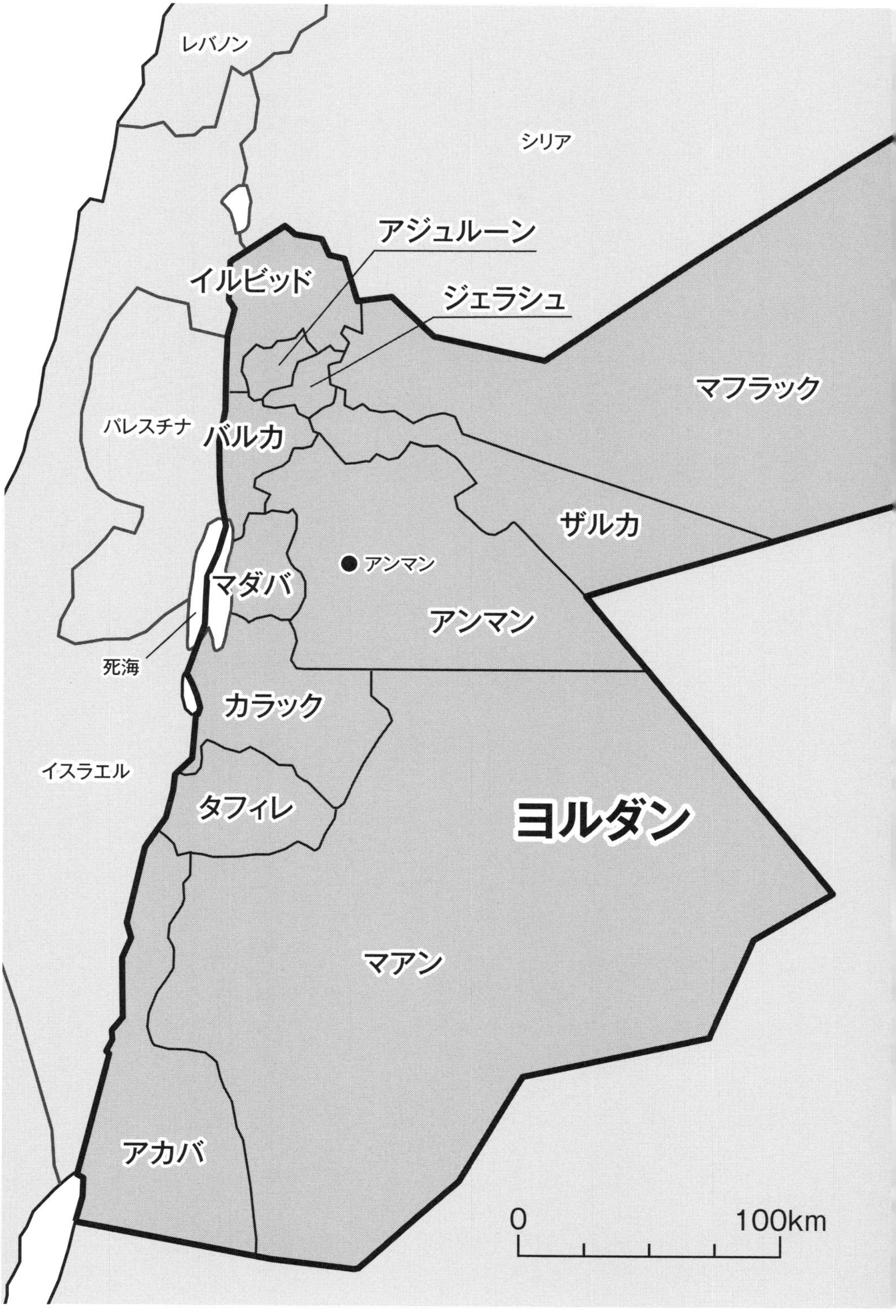
レバノン
シリア
アジュルーン
イルビッド
ジェラシュ
マフラック
パレスチナ
バルカ
ザルカ
アンマン
マダバ
アンマン
死海
カラック
イスラエル
タフィレ
ヨルダン
マアン
アカバ
0
100km

はじめに

中東やアラブ世界に苦手意識を持つ日本人は多い。これらの地域に対する反応は、「テロが頻発する地域で怖い」「イスラムは良くわからない」ということだろうか。かくなる私も、中東やアラブ世界はもちろんのこと、イスラムすら学んだことがないうえに、これらの地域に住んだ経験もなかった。

しかしながら、縁あって独立行政法人国際協力機構（ＪＩＣＡ）*1が支援するプロジェクトのリーダーとして、中東に位置するヨルダンに赴任する機会を得た。今から二〇年以上前のことである。その後、通算一一年にわたり、リーダーのままヨルダンに駐在した。

ヨルダンへの赴任が決まるまで、私は、本当にアラブ世界を知らなかった。唯一知っていたのは、物語の中でのアラブの世界だった。なかでも「魔法の絨毯」は私のお気に入りであった。

私が小学生のとき、日本の各地の小学校から選ばれた児童二人が、黒柳徹子さんと一緒に「アラビアンナイト」（「千夜一夜物語」）に出てくるような魔法の絨毯に乗って、児童の学校を訪ねるという番組があった。そこで、歯の健康で日本一に輝いた私の小学校にも、黒柳さんが魔法の絨毯に乗って訪ねてきてくださった。もっとも黒柳さん本人はいらっしゃらないで、ヘリコプターが学校の上空を旋回し、運動場にいたわれわれ児童はそのヘリコプターを絨毯と見立てて手を振るだけだったのだが。しかし手を振りながら、なぜか

「魔法の絨毯」に魅せられ、アラブ世界に対する興味が湧いた。後年になって、アラビアンナイトは「アラビアン」とはなっているが、かならずしもアラブに限ったお話とは言いがたいと知り、自分自身の無知にはわれながら驚いた。それほど、私はアラブ世界や中東地域について知らなかった。

　前任地のアフリカで経験を積み、自信をつけていた私ではあったが、ヨルダンでのプロジェクト活動は思った以上に悪戦苦闘の連続だった。しかし毎日が学びだと肝に銘じ、地域住民と交わる努力を重ねたせいか、最後は彼らと心を通わせことができるようになった。

　そこで、このプロセスを共有することによってアラブに対する理解が深まり、かつアラブとの心理的距離が狭まる方が増えることを願って、朝日新聞社が運営する有料中東専門サイト「Asahi 中東マガジン」[*2]に、「ヨルダン報告」および「シリア難民とヨルダン」と銘打った、計一四回の連載記事を掲載した。本書の土台となった文章である。

　いまこれらの記事を読み返してみると、未知の土地に足を踏み入れてから、地域住民と心を通わせることが出来るまでに至ったプロセスは、まさしく異文化理解への道でもあったと思うようになった。

　学校やメディアを通して欧米中心の情報を得てきている私たちは、それ以外の文化圏については、現地で学び取る必要が多々ある。またグローバル化の時代にあって、これからの日本人はいま以上に世界のさまざまな地域にでかけ、現地の方々と一緒に仕事をすることになるだろう。そういう意味で私の体験は、現地で学び取った、まさに体当たりの異文化理解の事例ではないだろうか。

そうであるなら、これから世界をまたにかけて活躍するであろう日本の若者に、私自身の体験を語ることは意味あることではないだろうか。本書の前半、第1話～第3話には、このような私自身の体験を通した異文化理解のプロセスが記録されている。

ヨルダンは、北海道より若干大きいだけの面積を持つ小国である。周囲をシリア、イラク、サウジアラビア、イスラエル、パレスチナに囲まれ、地政的に難しい立地条件にある（ヨルダン地図参照）。しかしこのような地政的条件を武器に、小国ながらも、中東の調整役としての大きな役割を担っている国でもある。

ヨルダンの歴史は、外からの人口流入とともに作られてきたと言っても過言ではない。長いあいだオスマン帝国の一部であり、遊牧か半定住、または定住するベドウイン（アラブ系遊牧民）が住む、国境線のない土漠《どばく》地帯（土漠：砂漠よりも目が細かい土でできている）であったが、激動する世界情勢によって、この地への人口流入が目に見える形で現れてきた。

まず、十九世紀末から二十世紀にかけて、ロシアのコーカサス地方から宗教的迫害を逃れてチェルケス人が移住し、第一次世界大戦中には、アルメニア難民がやってきた。第一次大戦が終わると国境線が引かれ、ヨルダンは「トランスヨルダン王国」の名称でイギリスの委任統治下に置かれた。しかし、一九四六年になると「ヨルダン＝ハシェミット王国」（Hashemite Kingdom of Jordan）と名称を改め、独立国家として、元首を国王とする立憲君主制国家の道を歩み始めた。その後に勃発した中東戦争（一九四八～一九七三）の結果、大量のパレスチナ難民が流入し、ヨルダンの人口は飛躍的に増加した。

それでも、一九五二年当時のヨルダン人口はまだ約五八万六千人であった（第一回国勢調査)。一九五〇年代に子ども時代を過ごした私のヨルダン人の友人によると、そのころは学校の行き帰りに誰もかれもが声がけしてくれた、温かみのある共同体であったとのことである。その後、パレスチナ難民の流入が終わった一九七〇年代半ばには、内戦から逃れてきたレバノン難民、また二〇〇〇年代前半にはイラク戦争勃発によるイラク難民の受け入れが見られる。しかし、レバノン難民の数はそれほど多くなかったことと、イラクからは比較的学歴が高く資産のある難民を受けいれたことにより、これらの難民流入から生じる問題が大きくなることはなかった。

このように、これまでは人の動きを力に変えて国家体制を維持してきたヨルダンであるが、近年の大量のシリア難民の流入は、国家の存続を大きく左右するまでとなっている。

そこで本書の後半第4話~第5話では、ヨルダンに居住するシリア難民の現状、および彼らがヨルダンにもたらす社会変化について明らかにしてみたい。そのうえで、第6話ではパンデミックとなったCOVID-19の、ヨルダン国内における急拡大にも触れながら、中東の調整役として重要な役割を果たすヨルダンのこれからを見てみたいと考える。

ここで、私が任務に就いたプロジェクトの背景と具体的活動について、簡単に紹介しておこう。プロジェクトは、女性の健康の向上を図りつつ、ヨルダンの増加する人口増加を緩和することをめざして、一九九七年に開始された。

先に述べたように、ヨルダンの人口は一九五二年の第一回国勢調査によると五八万六千人くらいであったが、約四〇年過ぎて実施された第四回国勢調査では、四一三万九千人(一九九四年)と、一気に七倍以上に膨れ上がった。この伸びは、もちろん中東戦争のためにヨルダンに逃げてきて、そのままヨルダン人の市民権を得て生活するようになったパレスチナ人の数も寄与しているが、総じてこれらのパレスチナ人を含めたヨルダン人が産む子供の数が多いことが、人口増加の原因であった。たとえば一九九〇年以前には、ヨルダンの女性が一生に産む子供の数、つまり合計特殊出生率は七・八人であり、一九九〇年になってやっと五・八人に減少したものの、人口数が静止するといわれる二・一人にはほど遠い数値だった。

ヨルダンは、隣国のイラクやサウジアラビアのように、巨額な富をもたらす石油がない。したがって、水を始めとする限られた資源との均衡を考えると、ヨルダンにとっての人口問題は、国の存続を脅かす大きな国家的問題であることは明らかであった。

このような状況にあって、ヨルダンのみならず世界の女性の地位向上に力を注ぎ、かつ人口問題にも深い関心を示していた、当時の国王の実妹であるバスマ・ビン・タラル王女の強いイニシアティブの下、ヨルダン政府は日本政府に対して人口増加の問題に対処する支援を要請し、その結果開始されたのが、私が従事したプロジェクトである。

これを実施するに当たり、両国が共通認識として確認したことがある。それは、まず家族計画を初めとする女性の健康改善の活動を、「女性のエンパワメント（P15参照）」に結びつけた形で推進することである。もう一つは、家族計画や健康の知識が乏しい女性が多く住むにもかかわらず、中央部や北部に比べて人口密度が低いために、啓発活動は言うに及ばず、保健医療サービスの充実すら見過ごされている南部を対象とすることだった。

南部地方は、イスラムの教えにおいても、アラブ社会特有の部族的な伝統でも保守的で知られ、外国の援助機関のみならず、ヨルダン人ですら活動が困難といわれる地域だった。

またイスラムでは母親の健康を守るため、最低二年間の出産間隔を置くようにという教えはあるものの、結婚して子供を産むことが重視されるので、地方によっては結果的に多産となる傾向が顕著に見られる。南部地方はその典型だった。

その結果、プロジェクトは、イスラムやアラブの価値観とも深く関わる家族計画や女性のエンパワメントという難しいテーマに取り組むだけでなく、〝保守的な南部地方〟という条件も抱えてのスタートとなった。


国際協力機構にとって本プロジェクトは、イスラム圏で家族計画や女性のエンパワメントを前面に打ち出した初めてのものだった。そこで、慎重を期すため第一フェーズとして、まず一九九七年から二〇〇〇年の三カ年間にわたり、人口わずか三万強ほどの南部カラック県の小地域を選んで、プロジェクトを試行的に実施した。そしてそこから得た教訓を基に、二〇〇〇年から二〇〇三年の三カ年間にわたり、カラック全県に拡大した活動を第二フェーズとして展開した。この活動から生まれた成果は高く評価され、同プロジェクトはプロジェクト終了の翌年（二〇〇四年）に、ＪＩＣＡから表彰される栄誉を得た。

第二フェーズでの成功体験を取り入れて最後に実施されたのが、本書で多くのストーリーが語られる、第三フェーズの「南部女性の健康とエンパワメントの統合プロジェクト」である。このプロジェクトでは、二〇〇六年から二〇一一年の五カ年にわたり、保健サービスが十分に届いていない南部地方の、七六カ所の村落に焦点を当てる活動が展開されることとなった。

ヨルダンのなかでも、とくに部族主義が強い南部地方で地域展開型の活動を実施する場合は、同じ村落出身の女性(すなわち同じ部族の女性)が、自身の村落で動き回る必要性があった。そこでヨルダンの保健省は、新たな試みとして、このプロジェクトのために対象村落から、読み書きができてやる気のある女性をヘルス・エデュケーターとして新規に雇用し、彼女らを地域の女性に対する啓発活動に従事させることにした。これは、財政的に豊かでない保健省が下した英断だった。

プロジェクトは保健省と協力して、このヘルス・エデュケーターの育成に力を入れた。その結果、地域女性に対する家族計画や健康の啓発、さらには彼女らとのヘルスネットワークを作るうえで、ヘルス・エデュケーターは重要な役割を果たした。

この第三フェーズのプロジェクトは、第二フェーズのプロジェクトに続き、ヨルダンにおける功績が認められ、二〇一二年に「第八回JICA理事長賞」を受賞した。プロジェクト開始前、活動ごとに活動の成果を測る指標を設定し、終了時にその指標に基づき、成果をエビデンスとして示したことが受賞につながった。当時、これほど綿密に評価に取り組んだプロジェクトは少なかった。

二〇一一年九月、一一年にわたるヨルダン南部のプロジェクトの幕は閉じられたが、ヘルス・エデュケーターの活動の成功例を基に、保健省はその後、南部の村落に類似する北部の村落における事業を開始した。

私は二〇一一年九月に離任し、帰国後はJICA本部での勤務を始めた。しかし二〇一二年二~三月にかけて、JICAの短期専門家としてプロジェクト終了後の活動の持続性を見届けるため、再びヨルダンを訪れる機会を得た。

二〇一三年四月からは、職場がＪＩＣＡから大学となったが、やはり短期専門家やミッション・リーダーとして、大学の休みを利用して二〇一三年八〜九月、二〇一四年二〜三月、二〇一四年八月、二〇一五年八月の計四回にわたり、ヨルダンを訪問した。また二〇二〇年のコロナ禍直前に、二〇一四年に出会ったシリア難民との再会を求めて、個人的にヨルダンを訪問することができた。

この本に登場してくださったアラブの方々、とくに女性たちのさまざまな証言は、ふだんでは口にしない率直な心の声だった。一見するとややこしそうに見えるアラブ世界であるが、こちらがその懐に飛び込むことで胸を開き、率直な姿を現してくれるということも分かった。そこで私としては、私の体験を通して見たありのままの世界を知っていただきたいと思い、この本を書いたのである。

また偶然に出会ったシリアからの難民は、私が聞き取りを終わると、異口同音に「話を聞いてくれるだけで嬉しかった、私たちの現状を伝えてください」と締めくくってくれた。どうか、この本を読む皆さんにも、アラブの人々の生きざまと言葉を、まずは率直に聞いていただきたいと心から願っている。そこから、扉が開かれるのだと思っている。

＊1　独立行政法人国際協力機構（ＪＩＣＡ／ジャイカ）は、日本の政府開発援助（ＯＤＡ）を一元的に行う実施機関として、開発途上国への国際協力を行っている。ＪＩＣＡ／ジャイカはJapan International Cooperation Agency の略称。https://www.jica.go.jp/about/index.html（二〇二一年七月四日閲覧）

＊2　「Asahi 中東マガジン」は二〇一五年一月末に終了した。本マガジンの記事は朝日新聞記事データベース「聞蔵」に搭載されている。

目次

第5話　シリアに帰る日は来るのか

第6話　これからのヨルダン——コロナ禍の未来を探る

第1話　アラブの女性とエンパワメント

１　貧しい村落でスタートしたプロジェクト

おすましの白い町。これが、私が初めてヨルダンの首都アンマンに足を踏み入れたときの感想である。それ以来、通算して一二年アンマンに住み、アンマンを第二のふるさととまで思うようになった。

私は日本の国際協力機構（ＪＩＣＡ）の専門家として、一九九七年七月に初めてヨルダンに着任した。

アラビア語を習ったこともない、中東の勉強をしたこともない人間が、なぜヨルダンに行くことになったのか。不思議な縁ではあったが、じつは一九九〇年から一九九五年までの五年近くにわたり、アフリカのケニアで、女性グループを核とした地域展開型の「人口教育促進プロジェクト」のリーダーを務めたことがあり、それが今回のヨルダン赴任につながった。

ケニアでのプロジェクトは、家族計画推進のために関連テーマのビデオ教材を制作し、これらをテレビがあまり普及していない地方に住む住民に見せることで、家族計画の実行を促すことを目的とした。しかしこの活動に取り組んでいくにつれて、家族計画の実行率を高めるためには、地域女性住民のエンパワメントも重要であることがわかってきた。そこで試行的に、ケニア西部のある地域を選んで、ビデオ上映のみならずその地域で活動する産婆グループを核にして、女性住民のエンパワメントを図ることに尽力した。

写真１－１　アンマンの眺望：起伏の多い丘の上にびっしりとビルが並ぶ首都アンマンの街並み。

ケニアの片田舎でこの活動に取り組んでから二年ほど経過した一九九四年、一〇年に一度の国際人口開発会議（以前の名称は国際人口会議）がカイロで開催された。そこで、家族計画推進における女性のエンパワメントの重要性について認識されるに至った。現場での気づきから試行的に取り組んだ活動が、時を同じくして、国際舞台で認知されたわけである。

ところで、エンパワメントとは、字義通りに訳すと「力を持つこと」となる。私が関係する「リプロダクティブ・ヘルス」という分野では、エンパワメントとは、「欲しい情報を入手でき、それを基に自分で意思決定をして、健康を含めた自身の生活のコントロールができるような力を持つこと」をいう。すなわち、この分野での「女性のエンパワメント」は、具体的には夫が一方的に子どもの数を決めるのではなく、女性が自信を持ってその意思決定に参画し、しかも家族計画を夫と合意の下で実践できるような力を持つことを意味する。

なお、先のカイロ国際人口開発会議以降は、従来の母子保健・家族計画に加えて、生涯にわたる女性の幅広い健康とエンパワメント、および性と生殖にかかわる男性の役割と責任・若者のニーズなどにも注意を払う分野を「リプロダクティブ・ヘルス」と呼ぶようになっている。途上国では女性は「産む性」と認識され、子どもの数を夫が決める場合がほとんどだ。そこで、夫との話し合いで産む数を決めるプロセスが可能となるよう、「女性のエンパワメント」を介した家族計画を推進することが重要となる。

写真1-2　丘にまたがるアンマンの街：とにかく坂が多い。

私がケニアからＪＩＣＡ本部に戻った一九九五年には、ＪＩＣＡはすでに女性のエンパワメントを家族計画分野に導入するプロジェクトについて、ヨルダンの関係機関と討議を重ねていた。その結果、まず手始めに一九九七年から三年間、ヨルダンの南部地方を対象に、女性の健康とエンパワメント統合のプロジェクトが実施されることになった。

現場でわれわれと一緒に仕事をするヨルダン側の主なパートナーは、保健省であった。プロジェクトの主な活動は、家庭訪問やワークショップを通じた女性住民への家族計画・母子保健および生涯にわたる女性の健康とエンパワメントについての啓発、そして南部の村落にある保健省管轄の村落ヘルスセンター＊1の家族計画・母子保健サービスの改善だった。

着任してみると、首都アンマンにはスーパーマーケットもあり、陳列されている品物は外国製品を含め豊富で、ここではケニアとは比べられないほどの快適な生活を満喫できることが一見してわかった。「こんな国になぜ援助？」と疑問を感じたが、アンマンを離れ、ヨルダンの中でもとくに貧困地域が多いといわれる南部地方を訪れると、その豊かさから取り残されている現状に愕然とした。

南部地方はカラック県、タフィレ県、マアン県、アカバ県と四つの県からなっている。西側には、標高マイナス約四〇〇メートルの死海から紅海に至る「ヨルダン渓谷」が走り、広大な東側の丘陵地帯には土漠が拡がる。＊2これらの丘陵

＊1　村落ヘルスセンター
村落ヘルスセンターとは、村落に位置する保健省管轄の診療所である。すべての人が健康になることをめざした「プライマリー・ヘルスケア」という概念が伝播した一九八〇年代に、このようなセンターがヨルダンの村落に次々と設立された。医師、看護師、助産師は常駐せず、准看護師や、ときには数カ月という短期間で集中的に看護教育を受けた人が、一人または二人ほど駐在している。彼女らや彼らは、住民の簡単なけがの治療に加えて、保健省から配布された薬品の管理、センターの清掃・管理および、週一、二回の割合で短時間センターを訪問する医師の医療補助を担っている。

＊2　ヨルダンの自然
ヨルダン国土の西部には、ヨルダ

地帯は、降水量が少ないために農業には不向きである。ヨルダン政府によるベドウィン（アラブ系遊牧民）[*3]の定住化政策により、土漠地帯にはかつてのベドウィンが居住する村落が多く点在する。しかし目立った産業がないため、働き盛りの男性の多くにとって軍隊が唯一の働き口となっている。

プロジェクト開始と同時にまずしたことは、南部村落をあちこち訪問することだった。対象村落の全部を訪ねることはできなかったものの、西は死海のほとりの村から、東はサウジアラビア国境近くにある村まで、合計で四〇くらいは訪問したと思う。

訪れてみると、そこは日本のようにまとまって家が立ち並んでいるという風ではなく、木々のない土漠に、ほこりっぽいセメント／土ブロックの小さな家がぽつんぽつんと立っているばかりである。それにひるまず村の中に車を進めていくと、見知らぬ車に鋭い視線を向けるのは、道路に所在なげにたむろしている若者だ。「よそ者が何しに来た」と、その目がこちらに語りかけている。

ひと通り村の感じをつかむと、次には保健省管轄の「村落ヘルスセンター」を訪れるのが常である。入ろうとして入口に立つと、多くの場合ドアに鍵がかかっている。「おかしいな、開いている時間のはずなのに」と周りをきょろきょろしていると、ヘルスセンターのスタッフが大慌てで家から走ってくる場合と、だれも現れない場合のどちらかとなる。

幸いにもドアを開けてもらってヘルスセンターの中に入れば、意外と言って

ン川から端を発し、標高マイナス四〇〇メートルの死海を経て紅海のアカバ湾まで拡がるヨルダン渓谷がある。ヨルダン渓谷の東側は標高六〇〇～一五〇〇メートルの丘陵地帯があり、丘陵地帯の東部には国土の約七五%を占める土漠地帯がある。降雨は冬季に集中し、北西部の丘陵地帯の年間降雨量は約六六〇ミリに達するが、土漠地帯の年間降雨量は約一二〇ミリにとどまる。出典：国際協力機構、東京設計事務所（二〇一〇）『ヨルダン国南部地域給水改善計画準備調査（その2）報告書（簡易製本版）』https://openjicareport.jica.go.jp/pdf/12009973_01.pdf（二〇二一年四月三〇日閲覧）

*3　ベドウィン
アラブ系遊牧民のことをベドウィンというのは、アラビア語の「バドウ」の西欧なまりであり、フランス人の発音に端を発しているという。「バドウ」とは、「空が一望にみわたせ、人工的な建造物のまったくない、しかし人間が活動できる場所」を意味するアラビア語の「バーディア」に住む人びとを指す。出典：片倉もとこ『「移動文化」考』岩波書店（一九九八）

は申し訳ないのだが、中は小ぎれいである。しかしながら、トイレは使えない、水は出ない、ということがよくあった。あるときには珍しく冷蔵庫があるのを見つけたので、乳幼児の予防接種で使うワクチンが入っているかと開けてみると、ワクチンではなく、スタッフが自宅で消費する野菜が入っていた。ヘルスセンターのサービス以前に、建物や保健医療機器の改善、それにスタッフの勤務姿勢の向上が必要であることは一目瞭然だった。

ある村を訪ねたときのことを話したい。いつものように村落ヘルスセンターに立ち寄ったところ、「体調が悪いという女性がいるので、医者のいるもっと大きなヘルスセンターに行った方がいいと勧めているのですが、交通費がないのです。夫が週末に帰って来るので、それまで待たなくてはいけないみたいです」センターのスタッフが、つぶやきともとれるそんな報告をしてくれた。女性はすぐ近くに住んでいるとのことだったので、訪ねてみることにした。

出会った女性は、細身で小柄なまだ二〇代の若い女性で、一部屋しかない家に、二人の小さな子どもと住んでいた。話を聞くと「夫は軍隊で働いているから、週末しか家に戻ってきません。前から体調がすぐれないんですが、自分の健康について夫に相談するのは気が引けます。言ったところで、あまり関心を持ってくれるとも思えませんし。ましてや交通費が欲しいなんてとても頼めません」という。

体調がすぐれないのに、それを夫に告げられない。体調不良なのに、そのこ

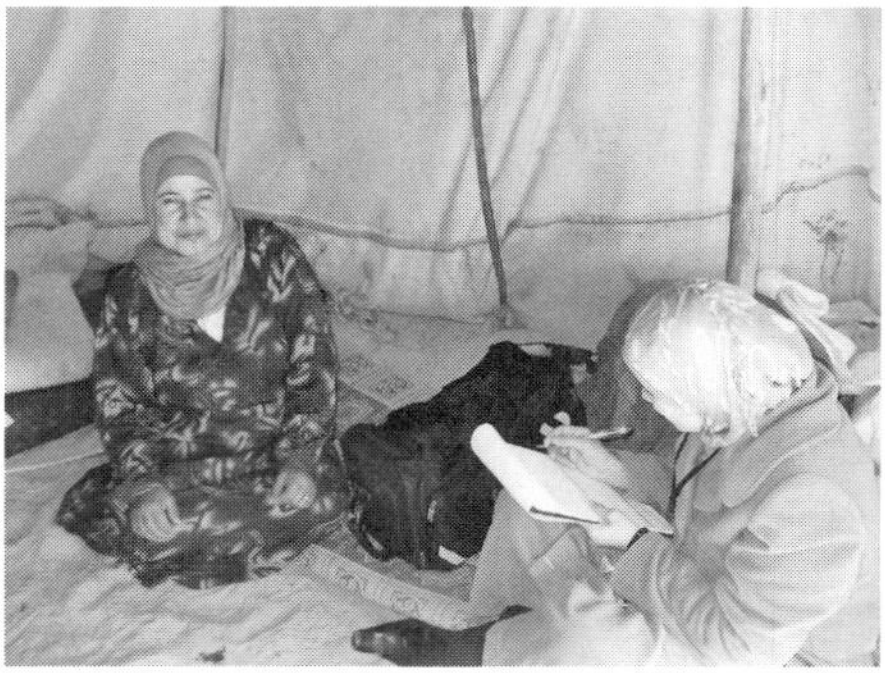

写真1-3　村の女性へのインタビュー：プロジェクト活動の評価調査のために、無作為に抽出された南部村落の女性を訪れて行った。

とに夫は無関心かもしれない。どういうことだろうか。体調が悪いにもかかわらず、なぜそのことを夫に切りだせないのだろうか。

それは「健康でないから子どもはあまり産めないかもしれないな」と夫に思われるのを避けるためである。イスラムの教えに忠実に従えば、複数の妻を持つ場合には、金銭面も含めて各人に平等に接しなければならないという条件がつくようであるが、とにもかくにも四人まで妻をめとることができるイスラム社会なので、彼女としてみれば「じゃー別の女と結婚するか」と夫が思うことを恐れているのだ。

右の例は、ヨルダンの村で偶然に出会った女性の話である。しかし、これがヨルダン南部の村に住む女性一般の境遇を物語っている。このような女性の状況を改善することをめざして、「女性のエンパワメント」を介した家族計画・母子保健のプロジェクトがスタートしたのだった。

村の女性は通常一三～二〇歳くらいで結婚する。そして、夫になる男性の年齢は、二〇代後半から三〇代という傾向がある。

結婚すると、ヨルダンの夫は、自分の家族の生活に全面的な責任を負わなくてはならない。しかしそれと同時に、稼いだお金を夫自身が管理しているのも事実である。日本のように夫が稼ぎ、妻がお金の管理をするというよくあるシステムではない。歳が離れていて、しかもお金を夫が握っているとしたら、夫が妻をリードし、すべての意思決定も夫が握るようになるのは、自然の成り行

写真1－4　村の青少年を集めてのマアン県保健局長のお話：南部マアン県のある村で、青少年を集めて「健康的な生活とは」をテーマとした。

きである。そして結果として、女性は自分の意思に関係なくたくさんの子どもを産む。

ヨルダン南部の村に入ってまず目につくのは、子ども、子ども、子どもである。とにかく、村のどこに行っても子どもがあふれている。村では一人の女性が七、八人の子どもを産むのはざらで、ある女性は一人で一三人も産んだとインタビューで答えてくれた。イスラムでは前記のように四人まで妻を持てるので、裕福な男性のなかには、二人か三人の妻を持っている人もいる。二人目、三人目の妻も子どもを産むから、自分の家族だけで小さなコミュニティーを作ることすら可能である。

実際に、村のはずれで自給自足の生活をしている、総勢二三名からなる家族に出会ったことがある。三人の妻と大勢の子どもに囲まれた一家の主は、それは幸せそうだったが、妻や子どもたちは生活を支えるために何かしら動いていた。子どもたちは、学校にも行っていないであろう。

ところで村に暮らす夫婦であるが、夫と妻では、持とうとする子どもの数の考え方に温度差がある。村では今でも、子どもが大きくなれば老後の面倒は子どもが見てくれると期待しているから、生活を担う夫は妻が子をたくさん産むことにこだわる。また日本のみならずイスラムにも、「子どもは天からの授かりもの」という考えがあり、子どもの数をコントロールすることに抵抗感を持つ傾向がある。

いっぽう子どもを産む当事者である妻は、多くの出産を望んでいない。新婚ほやほやの村の女性を悩ませるのは、同居している義母やご近所の「子どもはまだか」という質問だそうだ。家事いっさいをして、ときには放牧の羊や山羊の面倒を見て、それから育児をするので、子どもが一人増えるごとに彼女の負担が増すのは想像に難くない。四、五人いれば十分だと思っているのが本音である。

しかしそんなことを言ったら、かえって自分の妻としての立場を悪くするのではないかと恐れてもいる。やはり夫が「じゃー、もっと子どもをたくさん産める若いのと結婚するぞ」と言うかもしれないのだから。

2　文化的・社会的に繊細なテーマ

一九九〇年代当時のヨルダンは、いまだに人口増加率の高さに悩まされていた。そのため、一九九四年の「国際人口開発会議」で提唱されたリプロダクティブ・ヘルスの考え方と、女性のエンパワメントの概念は、人口増加を抑制する手段としてヨルダンの進歩的関係者に受け入れられた。もっともリプロダクティブ・ヘルスのなかに女性の中絶の権利を組み入れることだけは、イスラムに反するということで、進歩的な人々も認めなかった。しかしそれ以外はすべて取り組みたいという強い意欲を持っており、それだけに日本への期待は大きかったと思う。

いっぽうＪＩＣＡ側であるが、当初は期待と不安が交錯していたのではなかろうか。一般的なイスラム教徒には、まだまだ「家族計画」や「女性のエンパワメント」と言う言葉が、〝外国から持ち込まれた文化的侵略の考え方〟と受け取られがちな状況にあった。

そのなかでＪＩＣＡは、援助機関としてはおそらく初めて、イスラム圏でこの二つの文化的・社会的に繊細なテーマに挑もうとしていた。そのため、地域住民から反発を食らうかもしれないリスクを抱えたプロジェクトであることは明らかであったが、プロジェクトの実施日が近づくにつれて、どっしりと腰を据えるようになった。そして、「住民から石を投げられたら、活動の途中であっても逃げ帰ってきてよろしい」という檄《げき》を飛ばして、われわれ専門家を送り出してくれた。そのせいか、本プロジェクトに従事することになった私を含めた専門家三名は、これから直面するであろう困難を思って気分が沈むより、新しいことに挑む高揚感の方が強かった記憶がある。

プロジェクトでは、ヨルダン南部を対象地域とした。この地域は、家族計画や健康の知識が乏しい女性が多く住むにもかかわらず、中央部や北部に比べて人口密度が低いために、啓発活動は言うに及ばず、保健医療サービスの充実すら見過ごされているエリアだった。

プロジェクトが手始めに対象としたのは、南部四県のなかでもいちばんアンマンに近いカラク県に位置する、南ゴール郡という当時人口三万ほどの地域だった。まずは小地域で活動してみようというわけである。

写真２－１　道端で野菜を売る南ゴール郡の子どもたち：死海のそばで半定住するベドウィン家族の子ども。親を手伝っている。

南ゴール郡は死海の南に位置しており、いわゆるヨルダン渓谷と呼ばれる場所にある。この渓谷は、北はシリア国境から南はアカバの紅海、さらにはアフリカにも通じ、いわゆるグレイトリフト・バレーの一部をなしている。真夏には気温が五〇度に達する日もある。そのため、夏場はただひっそりと家の中で暑さをしのぐしかない。もちろん家に冷房などは備えられていない。

南ゴール郡はヨルダンのポバティー・ポケット（貧困スポット）として知られており、住民はプランテーションの日雇いやアンマンへの出稼ぎで収入を得ている。しかも、あまりの貧しさと後進性に援助機関ですら二の足を踏む援助の未開地だった。そうであっても、この地域の合計特殊出生率（一人の女性が一生に産む子供の数）が七・一であることからわかるように、家族計画の必要性は明らかである。

初めて南ゴール郡を訪ねて何に驚いたかといえば、住民の容貌が、アンマンやカラック県の丘に住む人たちと違っていたことだ。色は黒く、髪はアフリカ大陸に住む人々と同じ巻き毛だった。この地の調査をした日本人研究者によると、もともとはサハラ以南のアフリカに住んでいた人々であるが、一説ではプランテーションの労働者として連れてこられ、ここに住み着いたということだ。そのせいか、それとも気候のせいか、サハラ以南アフリカにすむ人々のように楽天的で温厚な人たちだった。四〇～五〇年も前は、ここに住む未婚女性は花嫁修業として、アンマンの家庭に奉公人として働いていたと聞いたことがある。

写真2-2　南ゴール郡の女性へのインタビュー：子供数、家族計画の有無、産後検診の有無、自身のエンパワメントの程度などについて質問する。（カバー写真）

アンマンを始めとする、いわゆるヨルダン渓谷の丘に住む人たちは、南ゴールに住む人たちを、不作法で非衛生な野蛮人と思っていると感じられた。たとえば、プロジェクトの実施機関の一つである王室系NGO「ヨルダン・ハシェミット人間開発基金」*4の本部職員に案内され、ここの支部を訪れたときのこと。支部には台所があり、そこで地元の関係者が昼食の準備を始めたところ、私たち日本人に同行していた本部職員が私たちを残して台所に行ってしまった。ただそのときは「お手伝いをするんだ。気が利く人だ」と思った。

しかし、台所から出てくると、「だいじょうぶ。出されるものは安全だから食べて。私が料理を見張って衛生面をチェックしたから」と誇らしげに語ったので、ここで出されたものは衛生面に問題があるとの認識を持っていることに気づかされたのである。

そのいっぽうで、住民は「丘に住む人たちは自分たちを見下している」と感じていることもわかった。さらには、「われわれをだます信用できない人だ」との思いもあるようだ。ある日、南ゴール郡でも飛びぬけて貧しいと言われている地区を視察する機会があった。しかし、アフリカのスラムを見慣れている私には、この地区のどこが貧しいのか理解できなかったので、率直に「それほど貧しくは見えないいんですが」と感想を述べた。

すると、案内してくれた方が、「アンマンのやつらは資金を調達したくなると、いつでもここに人を連れてくる。そして『貧しい可哀そうな人たちだから、資金を提供してくれ』と言ってわれわれを使う。でも金が出ると、その金はここ

＊4　王室系NGO
ヨルダンには、王室系NGO団体が一〇以上存在する。例として、フセイン前国王の実妹であるバスマ王女が一九七七年に設立した「ヨルダン・ハシェミット人間開発基金」、そしてフセイン前国王の妻であるヌール王妃（今でも王妃の肩書を保持）が一九七九年に設立した「キング・フセイン・ファンデーション」、それにアブダッラ現国王の妻であるラーニャ王妃が一九九七年に設立した「ヨルダン・リバー・ファンデーション」がある。JICAプロジェクトがパートナーとするのは、ヨルダン・ハシェミット人間開発基金。

に届かない」と吐き捨てるように言ったのだ。これを聞いて、「アンマンからここに通うことになるわれわれ日本人は、〝アンマンの人〟と見なされないよう注意を払う必要がある。地域の人に信頼されるよう努力しなければならない」と、心のなかでしっかり自分に言い聞かせた。

3　部族長から活動の許可が出る

プロジェクトの対象地域である南部地方は、保守的で貧困な部族社会で知られている。首都アンマンに一番近いカラック県は、近年都会と同じようになりつつあり、県庁所在地であるカラック市の周辺は、市中で働く人のためのベッドタウンと化している。しかし、他の三県は土漠の中に村落が散在し、交通も不便で、各村落がそれぞれ独立した機能を備えているように見える。二〇〇六年から開始された第三フェーズのプロジェクトは、この土漠に散在する七六の村落を対象とした。

村落を訪ねてみると、村はそれぞれ一つから三つの部族で構成されているという印象を受けた。村に入ると、まず「お前はどこの部族だ」と質問される。そこで、私は「サトー部族だ」と答えることにしていた。血族結婚が多い当地では、部族は血のつながりを意味しているので、血のつながりのない日本のサトー部族なんて本当は正しくない。ただ、こういうと、私が何者であるかを彼らの思考の中ですばやく理解してくれるので便利である。日本でもかつては、平家一族、源氏一族みたいなものがあったので、日本人にとって必ずしも縁遠いコンセプトではないと思うのだが。

このような部族社会の村で、信頼を勝ち得るのは大変である。要するに排他的なのだ。同一部族で固まり、お互いに助け合って厳しい環境を生き抜いてきた人々にとって、よそ者は「敵」であり、羊や山羊といった所有財産、女性や貴重な水を奪うのみならず、彼らの秩序や価値観を壊しかねない恐れのある存在として見えるからだ。

というわけで、女性のエンパワメントといっても、女性である私ですら女性にすぐに会えたためしがなかった。したがって、村を安心して歩き回れるようになるために、まずクリアしておかなくてはならないハードルがある。

それは、村を束ねる部族長に会ってプロジェクトの説明をし、彼からプロジェクトの活動許可を得なくてはならないことだ。許可を得ないと、身に危険が降りかかる恐れがある。変化を好まず、伝統を守ることを責務とする部族長に、どのように変化の必要性を訴えるのか。このあたりが、保守的な南部地方で活動するプロジェクトの腕の見せ所だったのかもしれない。

部族長に初めてお会いしたときには、「私はこういう者で、村の発展を支援するためにやってまいりました」と切り出すことにしている。女性のエンパワメントや家族計画を、村の発展のためのプロセスと位置付け、まずはプロジェ

写真３−１　岩と土漠に住むベドウィン女性を訪ねる保健省職員：ＪＩＣＡプロジェクトとの連携の下、健康や家族計画の啓発のため、南部アカバ県の土漠に住むベドウィン女性を訪問する保健省助産師。

クトが最終的にめざす大きな目標を提示する。すると、部族長はぐいと引き寄せられ、にわかにこちらの話に興味を示す。双方の緊張が解けたと感じたころに、初めて細かな情報として「女性のエンパワメントや家族計画」を出すのであるが、ある部族長とは、こんなやり取りが交わされた。

「家族計画ということだが、今のパレスチナやイラクの状況を見ると、われわれアラブの民は、減るのではなく増えることが必要だと思うんだが、どうかね」

家族計画はアメリカの陰謀で、アラブの民を減らすための口実として使われているという、まことしやかな噂が伝播されていると聞かされていたので、すかさず「いや、それは違います。たとえば日本を見てください。あの小さな国に一億二千万ほどの民が住んでいます。あんなに小さい国なのに、もっと子どもを必要としています。どうしてだと思われますか。日本は国を支える力があるからです。水もない資源もないヨルダンに、それほどの国力があると思われますか」と言うと、「いや、ヨルダンにはない。しかし、確かに日本にはある」とびっくりするほどの素直な回答が返ってきた。そのあとまだ様々なやり取りはあったのだが、とにもかくにもこの村での家族計画の推進はＯＫとなった。

この部族長の村落では女性は定住しているが、定住だけでは生活が成り立たず、男性の多くはいまだ、サウジアラビアとヨルダンを行ったり来たりの半定住の遊牧生活をしているとのこと。次に部族長を訪ねたときは、すでにサウジアラビアに行ってしまったあとだった。どうりで彼の家の床は、ベドウィン特有の赤を基調としたカラフルな絨毯で覆いつくされていたわけだ。いちおうは

写真３−２　比較的豊かな村：ベドウィンでない住民が農業と放牧で生計を営む。南部カラック県。

ヨルダン政府が遊牧民定住化[*5]のために用意したセメント／土ブロックの家に住んではいたが、失礼ながら定住している私から見ると、ほこりっぽい絨毯にほこりっぽいアラブの長衣を着て素足のまますわっていた彼は、やっぱり現役の遊牧民に見えた。

部族長がサウジアラビアに行ってしまったあと、女性・子どもの面倒を見るためにヨルダンの村に残った男性が数名いた。そのうちの一人が「部族長が言ってたよ。あんたは賢い女性だって」と教えてくれた。

それを聞いて「部族長に認められた」という実感がむくむく湧きあがり、正直、嬉しく思った。その後、この村を何回も訪ねたが、誰もかれもがわれわれプロジェクトスタッフを歓待してくれた。部族長に認められたおかげである。

4　問題は村に山積！

第三フェーズのプロジェクトの対象村落の一つに、第一次世界大戦中、アラビアのローレンスや今のヨルダンを統治するに至ったハーシム王家とともに、トルコ軍とたたかった由緒あるベドウィンの一部族[*6]が定住した村があった。その村にでかけ、部族長にプロジェクトの説明をした。その印象が強烈だった。

村落ヘルスセンターのスタッフに伴われて部族長の家に到着すると、すでに連絡を受けていたようで、小柄な男性が玄関に立って我々を待っていた。その男性が部族長だった。彼は、頭に赤白チェックのヘッド・スカーフをかぶり、

＊5　遊牧民とその定住化政策について
『牧畜を人文学する』シンジルト、地田哲郎編著　名古屋外国語大学出版会（二〇二一）参照。

＊6　ベドウィンとハーシム王家
オスマン帝国は二十世紀初頭、ヨルダンを含む中東一体を領地としていた。第一次大戦が勃発すると、オスマン帝国はドイツと同盟を結ぶことで中東での支配を堅固なものにしようと計った。しかし当時メッカの太守を務めていたハーシム家当主のフセイン・イブン・アリーを主導とする、ベドウィンを含むアラブの諸部族は、オスマン帝国の支配からの脱却を図るために、ドイツを敵国とするイギリスの支援を受けながら中東各地でオスマン帝国軍と戦った。アラビアのローレンスで知られるトーマス・エドワード・ロレンスは、イギリス軍から派遣され、アラブの諸部族を支援した。

その上に載せた黒いわっぱでスカーフを固定していた。体には、貫頭衣のような裾まで丈のある白い長衣をまとい、さらにその上には、膝くらいまで丈のある茶色の衣を羽織っており、まさに当地のいわゆる伝統的アラブの服装だった。

「アッサラーム・アライクム〈あなた〈がた〉の上に平和がありますように〉」とアラビア語で部族長にあいさつをすると、部族長は上品な笑みを浮かべて、「どうぞ家の中に」と招いてくれた。

案内された客間は広く、明るい黄土色のソファが所狭しと並んでいた。たくさんのソファのどこにすわろうかと迷ったあげく、一番奥のソファにすわって落ち着く間もなく、同じようなかっこうをした男性が四、五名どかどかと入ってきた。どうやら、村の顔役のようである。

みんなが到着したところで、部族長の息子らしい若者が、いわゆるアラブコーヒー[*7]をお盆に運んで持ってきてくれた。濃いハーブティーのような味がする。カップは普通のカップの半分以下のサイズである。最初のコーヒーを筆頭客である私がまず飲み干すと、そのカップは次の人に回される。いわゆる回し飲みだ。一杯飲んだあとにそのカップを左右に振らないと、またまたコーヒーが注がれてしまうのは、まるで岩手のわんこそばのようでもある。

このような儀式が終わって、「では本番か」と思って話し出そうとしたところ、今度は私の同僚のヨルダン人男性が、横合いからしゃべり始めた。アラビア語

写真４－１　マアン県の村のプロジェクト活動開始式：ハーシム王家と一緒にトルコ軍と戦った由緒あるベドウィンの部族が定住している村での開始式は、その部族長宅にあるテントで開催。前列の一番左端に立っているのが部族長。その横に並ぶ三人の背広姿の男性はマアン県政府高官。その横の二人の女性は筆者と筆者のアシスタント。

＊7　アラブコーヒー
ベドウィンは来訪者に対してアラブコーヒーをふるまう習慣がある。コーヒーの粉をそのままお湯で煮詰め、それを小さなカップに注いでその上澄みを飲む。客が来ると、カルダモンというスパイスを入れてもてなしてくれる場合が多い。ここで飲んだアラブコーヒーもカルダモンが入っていたので、ハーブティーのような味がしたというわけ。

の上に早口なのでちんぷんかんぷんなのだが、どうやら世間話をしているらしいことだけは理解できた。「なんでじゃまするの」と、内心いまいましく思いながら傍観していると、なかなか終わりそうもない。「これはたまらない」と思って、「ところで」と彼らの会話に入り込んだところ、同僚がとつぜん英語で「あなたが話し出すのを待っていたのです」と言った。けっきょく、すぐに本題に入るのは失礼なので、同僚は前座を務めていたというわけだった。

さて、私がプロジェクトについて説明している間じゅう、部族長はつねに柔和な笑みを浮かべ、こちらが話しやすいような雰囲気を作ってくれているのがわかった。私が緊張していると察してくださったのだろう。ところが「プロジェクトへのご支援をお願いします」と言って首尾よく話を終えたところで、部族長は予想に反して「皆はどう思うかね」と、そばにいた村の顔役たちに質問したのだ。さあ、そのあとが大変。大きな声で二〇分くらい議論しただろうか。上品な部族長とは違い、喧嘩をしているように話す彼らの声を聞いていると、内心気が気ではなかった。

あとでわかったのだが、彼らが怒声をあげてしゃべっていたのは私のプロジェクトについてではなく、プロジェクトがきっかけとなって、村の問題にまで話が発展し大議論となっていたのだ。

「あのぼろぼろの村落ヘルスセンターは全く機能していない」「村には職なしの若者が多すぎる」「職なしの若者のためにＮＧＯを立ち上げたのに、資金が底をついた。どうしたらよいのか」「町へのバスがない」「学校の質が悪すぎる」「学校の制服を買う金もない家がある」などなどである。部族長の優雅な振る舞いとは裏腹に、村には問題が山積みしていた。このような村の問題を少しでも解決してくれればという思いで、この村でのプロジェクト活動は許可されることとなった。

次々と村での活動が許可されるなかで、プロジェクトが目の当たりに見た村の現状は、家族計画・母子保健にとどまらない、村の経済的社会的貧困だった。ここには、かつて遊牧民だった民が多く定住している。観光や行政で働く口を得る男性はごくわずかで、残された就職先は軍隊だけとなる。入隊した男性は週末のみ家に戻るという生活パターンを余儀なくされ、それはそれで留守がちな家庭を作って問題なのであるが、見方を変えれば職を得ただけでも幸運だとも言える。

「今まで羊や山羊を追って放牧していた民が、住み着いて何ができるかね。軍隊しかないんだ。戦ってきた歴史があるから、軍人になることはあまり苦にならないがね」と、ある部族長が苦笑いしながら私に語ってくれたのが印象的だった。

写真4-2　マアン県の別の村の部族長：ふだんは県の社会開発省に勤務する役人。

5　小規模ローンで夫との関係を変えた女性たち

ヨルダンの南部地方での活動で忘れてはならないのは、保健医療分野のプロジェクトにもかかわらず、「女性のエンパワメント」を高める手段として女性を対象とした収入創出活動を実施したことである。

社会開発事業に位置付けられる収入創出活動を保健医療プロジェクトに組み入れるこのような取り組みは、これまで例がなかった。具体的には、私たちは一九九七年から二〇〇三年までの六年にわたって南部地方のカラック県を重点に、プロジェクトの実施機関の一つであるヨルダン王室系ＮＧＯ「ヨルダン・ハシェミット人間開発基金」と協力し、山羊の飼育、養蜂、洋裁などの事業に関心のある女性を対象に、ローンという形で事業のための小規模な資金提供と技術支援をしたのだ。

収入創出活動が軌道に乗ってきた二〇〇二年、活動状況を把握するために村を訪れると、「ねー、わたし、こんど新しいローンを組んで、別な収入の道も開拓してみたいんだけど」と、山羊の世話をしている女性から声をかけられた。

彼女は、プロジェクトから小規模ローンを提供してもらい、その資金で山羊を数頭購入し、これらの山羊が産んだ子山羊を売るたびに少しずつローンを返済、ついにローンをすべて返済した女性で、プロジェクトにとっては成功例といえる一人である。そこで二年ぶりに彼女の家を訪ねると、今まで空っぽだった一間の借家に、冷蔵庫やテレビ、それに新しい茶箪笥が所狭しと並んでいた。

私が彼女に「このテレビは誰が買ったの」と聞くと、「わたし」と彼女が答える。「この冷蔵庫は」「それもわたし」私は彼女の答えに喜びを隠しきれない。「そうなんだ！」ローンを返し終わった彼女は、山羊から得る収入で、今度は自宅に家電や家具をそろえ始めたのだ。

彼女の名前はナジャ、年齢は三八歳。八人の子どもがいる。彼女は言う。「わたしは教育もなく、一四歳で結婚してからは子どもを産むことがわたしの生産的な活動で、これがわたしの仕事だと思っていました。八人も子どもがいるので、家はいつも貧しくて、生きることだけで精一杯でした。

ところがＪＩＣＡのプロジェクトが育成したヘルス・エデュケーター[8]という人が家に来て、女性も自分に自信を持つこと、ネットワークを築くことが、より豊かな生活につながるという話をしてくれました。そのとき、プロジェクトが支援する山羊のローンのことも知ったのです。家計を助けたい。自分に自信をつけたい。だから、思いきってやってみることにしたのです」

ナジャの夫はバスの運転手だったそうだが、彼女の稼ぎがついに夫の収入を超えるくらいになった時点で、仕事を辞めて彼女を手伝うようになった。時間的にもゆとりができたナジャは、新たな収入創出活動に着手しようと考え始めたのだ。

写真５－１　ナジャ：山羊の飼育中。南部カラック県の村に住む彼女は、山羊の飼育により家計を豊かにした。

＊8　ヘルス・エデュケーター
家庭訪問をし、出産可能な年齢（一五歳～四九歳）の女性に対して、家族計画や自身の健康を守る重要性、さらには、女性のエンパワメントについて啓発する女性住民ボランティア。

「山羊の飼育をするようになって、あなたの生活では何が変わったと思いますか」とナジャに聞いてみた。すると「まず夫がやさしくなったわね。だってわたしが山羊の世話で忙しいと、家事を手伝うようになったもの。それと、わたしの収入が良くなって家電を買い揃えたり、お金の一部を子どもの教育費にもまわすようになったら、わたしの意見にも耳を傾けるようになったと思うわ。そこでわたし夫に言ったんです。もう子どもは十分じゃないかと。それより今いる子どもの教育にお金を使おうって。家を建てるためにお金も貯めたいし。夫は賛成したわ」

これこそが、プロジェクトが望んでいた二人の対話だった。

大事な点だが、イスラムでは、男女の財産権が分かれている。男性が稼いだお金は男性が管理し、家族を養うために使う。しかしながら、女性が自分で稼げばそのお金は自分のものとなるのである。

ナジャはそのお金を使って家族の身の回り品の購入、子どもの教育費や家の新築に費やそうと考えた結果、これ以上子どもを産むのではなく、今ある生活をより豊かにする方向へと自分の意思で歩み始めた。夫もこの妻とともに歩むことにより、彼の存在感を確保しようとしているように私は感じた。

村には、プロジェクトが支援する養蜂事業に取り組んでいる女性も

写真５－２　養蜂：蜂が入った箱を持っているのは、南部カラック県のある村の養蜂事業受益者。右側に立つのが、長年北部で養蜂に従事する男性。プロジェクトの依頼により一年間、定期的に受益者を訪問して技術指導をしてくれた。

写真５－３　ヘルス・エデュケーターの訓練：首都アンマンで。プロジェクト主催による。小グループに分かれて討議。立っているのは助言をしている保健省看護師スーパーバイザー。

いる。養蜂は山羊の飼育に比べてあまり手間がかからない。基本的には蜂が蜜を運んでくるわけだから。しかし、蜂が病気にならないように気を付けなくてはならない。おまけに季節に応じて蜂箱を移動する必要も出てくる。そんな技術をプロジェクトから教えてもらった女性たちは、じつに生き生きと自信を持って活動に従事している。

養蜂を営むある女性を訪問した。彼女によれば、蜂の箱が増えるにつれてすでに教職を退いて家にいる夫が手伝うようになり、今では二人で養蜂をやっているとのこと。

ここでも「養蜂に関わるようになってあなたの生活で何が変わりましたか」と聞くと、「自分で稼いだお金を自分の意思で使えるようになったとき、本当に嬉しかった。でも、夫と二人でやるようになったら、これで得たお金を相談しながら決めるようになって、もっと幸せを感じるようになったわ。子どもをさらに産むかって？　もう十分。稼いだお金は、これからの私たちの生活に使うつもりよ」

収入創出の活動を通じて自身のエンパワメントを高めた女性が、村の新しい女性像として今後周囲の女性に与える影響には、計り知れないものがあるのではなかろうか。

写真5－4　家庭訪問：南部タフィーレ県に半定住するベドウィン女性を訪れ、助産師（写真左）が家族計画についてのパンフレットを渡しながら追加説明している。右側にすわっているのはヘルス・エデュケーター。

6　成長する女性

私がヌハに出会ったのは、彼女が、われわれのプロジェクトの実施機関の一つ「ヨルダン・ハシェミット人間開発基金」の秘書をしていたときだった。ヒジャブをかぶっていなかったので、キリスト教徒であることはすぐにわかった。ヨルダン国民の九〇％強はスンニ派イスラム教徒であり、それ以外はキリスト教徒、シーア派イスラム教徒、ドルーズ教徒であると言われている。すなわち、ヌハは宗教的には少数派に属していた。

初めて出会った当時、ヌハはまだ三〇代後半で、金髪のふさふさの髪を長く垂らした魅力的な女性だった。しかし数日後に会うと髪がプラチナ色になっている。「どうしたの、あなたの髪」と聞くと「気分を変えるために違う色にした」と言う。そして数日後には、今度はプラチナから赤毛になっている。「そんなに頻繁に染めると髪が痛むわよ」と言っても、「別にかまわない」そして彼女が私に話すことはといえば、昨晩どこで遊び歩いたかということだった。

ヌハは高校を卒業してすぐ、今の夫と結婚した。ともにキリスト教徒である。夫は三二歳で、一四歳の年の差があったが、ヨルダンではこれくらいの年の差婚は当たり前だ。両親は大学に行くことを勧めたが、その当時、夫は売れっ子の画家で羽振りが良かったそうである。ヌハは、お金をたくさん持っている男性との結婚こそが自分に幸せをもたらしてくれると信じていたので、早すぎる結婚への迷いはなかったという。まもなく長女が生まれ、その後夫がカタールに職を得たので、ヌハもカタールに移り住んだ。

カタールでは彼女も働き、話しぶりから二人はかなりぜいたくな暮らしをしていたことがわかる。今住むヨルダンのアパートは、そのときにサマーハウスとして、自身が稼いだお金で購入したものとのことである。ところが夫はカタールでばくちに凝り、たくさんの借金をつくってしまった。そこで一家は、夜逃げ同然にヨルダンに舞い戻り、ヌハが購入した小さなサマーハウスにころがりこんだ。自暴自棄となった夫は、夜な夜な友達と飲みに行く生活を過ごすようになったので、彼女は働かざるを得ず、今の職を得たというわけである。

そんな彼女が、私たちのプロジェクトの秘書となることが決まった。「わたしは変わりたい」と彼女自らが望んだからである。

社交的で大声で話す彼女は、恥ずかしがり屋で小声の日本人とは相性が良かったと思う。またイスラム女性であると外泊は難しいが、ヌハはキリスト教徒ということもあってか、私たちの出張に問題なく同行することができた。私たちの通訳の役割も果たしたので、ヌハなしの仕事は考えられないほど、私たちにとって彼女はとても大切な人になっていった。「ヌハ、こんな問題が起こったんだけど」と専門家が泣きつくと、「心配するな。わたしがかけあうから。問題ない」と言ってくれるヌハは、本当にたよりがいのある同僚だった。

私はプロジェクトが村で実施するワークショップで、ジェンダーや女性のエンパワメントについて話をしていた。そのために用意したストーリーが幾つかあるのだが、通訳するのはいつもヌハだった。たとえば、村の若い女性に私はこんな話をする。

「皆さん、自分の一生はこんなものよと思っていませんか。かつてこんな風であったし、今もこんなふう。いつの時代でも変わらないと思っているでしょう。でも、違います。時代とともに女性の生き方は変わります。たとえば私のおばあちゃん。わたしの祖母は小学校も出ていません。八人兄弟の最初に生まれた女の子だったので、次々と生まれる弟や妹のお子守をする必要があったからです。だから祖母は読み書きができません（日本もそんな時代があったんだということで村の女性は大いにうなずく）。わたしが学校から戻ると祖母はいつも「ときこ、新聞を読んでおくれ」と言うので、祖母に読んであげていました。読んだあとの彼女の顔が満足そうだったのを今でも鮮明に思い出します。

その祖母から生まれた私の母は、高校を出ていますから、読み書きはできます。でも一度も外で働いた経験もなく、結婚して夫に養われています。私の父はとてもワンマンな人だったので、母はつねに夫の顔色を見て生活をしていました。

そんな二人を見ていた私は、たとえ結婚しても、経済的に自立した女性になろうと思いました。それには教育が必要だと思ったので大学院まで行きました。そして今があるのです。皆さん、このことからおわかりになるでしょう。女性の生き方が昔から全く変わらないと思う必要はありません。女性の生き方を変える時代を待たなくても、自分で自分の生き方を変えることもできます（この話は若い村の女性を勇気づけるらしく、ここでいつも拍手が起こる）」

私たちと仕事を始めた当初のヌハは、出張する日の集合時間に平気で三〇分くらい遅れて来た。二、三度そんなことがあってから私は一計を案じ、いつものように集合時間に到着しない彼女を置いてきぼりにした。やはり三〇分遅れた彼女は、必死にタクシーをつかまえ、ガソリンスタンドで車両にガソリンを入れている私たち一行に合流することができた。その後二度と遅れることはなかった。

プロジェクトの活動が拡大するにつれ、秘書であるヌハは多忙を極めたが、私の出張に同行するため、仕事を家に持ち帰ってまで処理するようになった。おかげでワークショップやセミナーで話す私のスピーチを、逐次アラビア語に訳してくれていたのはヌハだった。しばらくすると、私が「皆さん、今日は〇〇〇についてお話ししますね」というと、ヌハは「ドクターサトー、そのあとは私が話すから大丈夫」というようになった。私が村の女性に語る話は、じつは変わりたいと願っている彼女自身が、スポンジのように吸収していたのである。

現在では、ヌハはヨルダンのジェンダー専門家として、テレビにも出る有名人として活躍している。たとえば、二〇二〇年三月に実施された国際女性デーを記念したヨルダン主催の集会の場で、彼女は感謝状を授与された。ヨルダンにシリア難民が流入してから、「ザアタリ難民キャンプ」に住むシリア難民女性に対して、キャンプ内での彼女らの置かれている状況改善をめざし、ヌハは行動変化を促す啓発活動をしていた。そのことに対して感謝の意が表されたわけである。掲載されている写真は、その表彰式のさいに撮影されたものである。

　彼女に会うと「私のキャリアの土台はＪＩＣＡスクールで作られました。そして日本人のそばで働いて、仕事への情熱、勤勉さを学びました」と言ってくれる。その言葉が出ると気恥しいが、まんざらお世辞でもないと思っている。

　ヌハだけではない。家庭訪問を通じて、村の女性の啓発に努めたヘルス・エデュケーターや、収入創出活動に取り組んだ女性たちが、次々と自分で自分の道を切り開く強い意志を身に付けていった。彼女たちは、プロジェクトに従事した私たち日本人専門家の誇りであり、勲章である。

写真6－1　二〇二〇年三月の国際女性デーで、感謝状を授与されたヌハ。（ヌハ・マハレイズ氏提供）

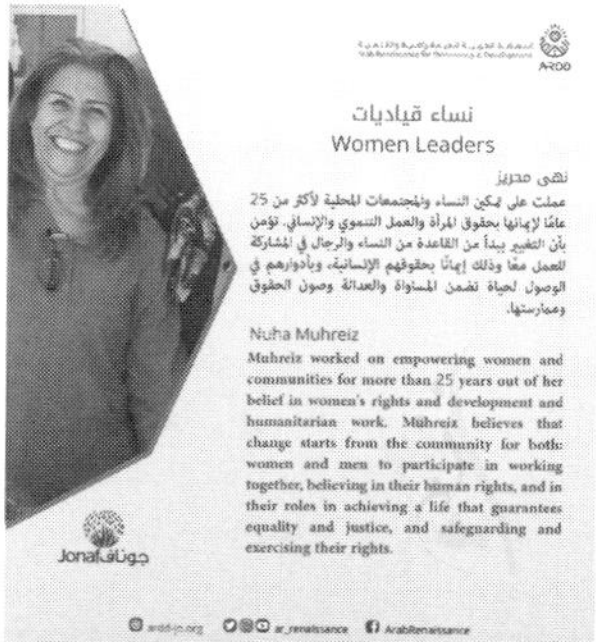

写真6－2　同じ国際女性デーでヌハが受け取った感謝状。（ヌハ・マハレイズ氏提供）

第2話　アラブの女性と伝統社会

1「イスラム女性に適さない思想と規範」

アラブ世界での男女関係には厳しいルールと行動の制約が敷かれている。とくにイスラム女性は、見知らぬ男性や「イスラム女性に適さない思想」に身をさらさないために、彼女らの装いと行動にはある一定の規範が課せられている。

イスラムには、信者が守るべき日常生活のルールとして、シャリーア（イスラム法）が存在する。シャリーアはコーラン（預言者であるムハンマドによって伝えられた神の言葉をまとめたもの）、ハディース（生前のムハンマドの言行を記録したもの）などが元になって作られている。

このシャリーアでは、婚姻外性交渉を男性・女性の区別なく大罪と定めている。イスラム社会は、シャリーアに基づくこのような性規範が、地域によって程度の差こそあれ一定の影響力を持つ。そのため特定の男性にのみ肌を見せ、不特定多数にそのセクシャリティやエロスを見せない女性が貞淑な女性とされて、そうでない女性がふしだらな女性とみなされるのだ。[*1]

伝統的な部族意識が強いヨルダン南部の村の女性は、まさにこのような性規範の下で生活していた。

村に行くと、女性は頭にイスラム式のスカーフ（ヒジャブ）をかぶっている。スカーフの巻き方も、私たちと違って頭にぴったり二重に巻き付け、ピンであちこち留めて滑り落ちないようにしている。少しでも髪がスカーフからはみ出

＊1　シャリーアに基づく性規範
田中雅一・嶺崎寛子『ムスリム社会における名誉に基づく暴力』文化人類学 82-3（二〇一七）pp.311–327.
https://www.jstage.jst.go.jp/article/jjcanth/82/3/82_311/_pdf（二〇二一年五月一日閲覧）

してはいけない。

また、身体には、足元まで裾《すそ》がおりているくすんだ色のコートを羽織っている。もっともコートの中は普通の洋服を着ているが、スカートだと足が見えてしまうかもしれないので、ズボンをはいている。夏などさぞ暑かろうと思い、「暑くない?」と聞くと、「暑い。でも脱げない」とのことだった。

冷房がきく部屋などに入ったら、コートを着ていない私などは心底身体が冷えてしまうくらいの室温が、彼女らにとっては適温のようだ。夏に身に付けるには不適切なスカーフやコートは、男性の視線から彼女らの身を守る武器のようなものだが、私には女性各人の個性を隠しているように見えた。

スカーフやコートの他に、女性の身を守る手立てとして身内の男性が果たす役割がある。たとえば、女性が外出するときは必ず「付き添い」が付く。既婚者は通常夫が付き添うが、未婚の場合は男兄弟が多いようである。

また、われわれが初めて家庭訪問してその家の女性と話をしたときなどは、かならず身内の男性が彼女のそばにすわり一緒に話を聞いていた。変な思想を吹聴されていないか、彼女を惑わすような話がされていないか、それをチェックする様は、女性を悪魔の手から守ろうとする王子様のようである。

さらにもう一つ、女性の身を守る方法として、「男女一緒には集まらない」という社会規範がある。

私が携わったプロジェクトでは、村の女性に集会場に集まってもらい、そこで女性の健康やエンパワメントについての話をしたが、このときに絶対してはいけないのは男性も招待することである。たとえプロジェクト側の男性がうろちょろしていても、「どうして男をつれてきたんだい。話ができないじゃないか」と言われてしまう。女性は夫や家族以外の男性の目にさらされてはいけない。男性も、いろいろな女性を見ると悪い気持ちが起こるかもしれない、ということで公共の場で一緒にすわってはいけないのである。

守られているはずの女性が、その枠組みを超えて身内の知らないところで男性とデートしたり、既婚女性がいわゆる不倫をしたりするとどうなるのか。そのときは「名誉殺人」が起こる危険性がある。「名誉殺人」とは、未婚女性がある男性と、もしくは妻が夫以外の男性と性交渉を持った場合、身内の男性が家族の名誉を守るためにその女性を殺すことである。

「名誉殺人」はイスラム世界にのみあるのではない。インドにおいても、カースト・宗教・村落などに絡む名誉殺人が報告されている。[*2] イスラム世界に限っていえば、名誉殺人はイスラムの教えというよりも、「一族の名誉」を重んじるアラブの伝統文化に由来する慣習だと多くのイスラム教徒は言うが、じっさいには地域のイスラム・リーダーによって正当化されていたり、イスラム・テキストに名誉殺人を許容する文面が載っていたりする。[*3]

その結果ヨルダンの英字新聞には、年間二七例くらいの「名誉殺人」記事が載るが、本当はもっと多いと言われている。殺人を起こす身内の男性は、既婚者の場合は夫か彼女の実の男兄弟で、未婚者の場合は男兄弟もしくは父親が多

写真1-1　夫婦での集会参加：カラック県の町を対象にしたプロジェクト（二〇〇〇～二〇〇三）で、夫婦が参加した集会の写真。村落では、集会を開くとき、どうしても男女別々になる。カラック県の町で夫婦一緒の集会が可能となったのは、プロジェクトの最終年度あたりからだった。

（萩原明子氏提供）

＊2　インドの名誉殺人
チャンダー・スータ・ドグラ著、鳥居千代香訳『インドの社会と名誉殺人』つげ書房新社（二〇一五）

＊3　イスラムの名誉殺人
Geraldine Brooks（1996）*Nine Parts of Desire – The Hidden World of Islamic Women –*, Anchor Books.

いようである。しかし殺されたあと死体解剖すると、じっさいは性交渉などなかった場合がほとんどで、うわさがうわさを呼んで身内が身内を殺さなければならない状況に陥っているようである。

「あんた、エンパワメントは重要だっていうけど、わたしを変える前に、うちの旦那を変えてほしいもんだね。そしたらあんたを尊敬するよ」と、ワークショップに参加していた女性から言われたことがある。

まさにその通りである。男性の理解、協力なしに、女性のエンパワメントを語ることはできない。そのうえでイスラム女性たちの声に耳を傾け、彼女ら自身が窮屈と感じている社会因習を取り除く支援活動が必要だと思っている。

2　彼女たちの意外な素顔を見た

窮屈な社会規範に縛られている女性たちが、そのような環境に満足しているのか。ストレスを感じていないのか。

「感じていない」といえばうそになる。

われわれのプロジェクトが初めて女性を対象としたワークショップを開催したときに驚いたのは、ワークショップに男性がいなくなったことを確かめるや、女性がいっせいにヘッド・スカーフをはずしたことだった。頭を締め付けられているとやっぱり窮屈なのである。そしてもっとびっくりしたのは、女性だけ

写真1－2　夫婦で話を聞く：カラック県の町での家庭訪問で一緒に話を聞く夫婦。町だけではなく村でも、家庭訪問時には夫婦で話を聞くようになってほしい。

でいるときの、彼女らの自由闊達な言動だった。日本の女性の井戸端会議さながらに賑やかなのである。

彼女たちは男性がいると口を閉ざし、目に見えない存在になってしまうのだが、女性だけになると、陽気でおしゃべりでおしゃまで、しかも必要に応じて自分の意見を堂々と述べる個性豊かな人たちである。それは現在も変わらない。

ヨルダンに着任して間もないころ、こんなことがあった。村でのワークショップが終わると、ワークショップを手伝ってくれていた村の若い女性たちが「こっちの部屋に来て」と私に言う。「何かな」と思いつつその部屋に入ると、とたんに後ろのドアがバタンと閉められた。

彼女らは鍵がかかっていることを入念に確かめたあとに、何をするかと思いきや、上に着ていた地味なコートを脱ぎ捨て、ヘッド・スカーフをはぎ取ったのだ。そして私に「どう」と言う。

目の前にいる彼女らは、まるでアメリカのテレビの映像から飛び出した人のように、黄色や赤色のTシャツにぴちぴちのGパンをはいたアメリカの若者みたいだった。私が「いいね」と言ったことに満足するや、持ってきたラジカセをかけ、キャーキャー言いながら音量たっぷりに踊りだしたのだ。もっともその踊りはアラブ音楽に合わせたアラブの踊りだったが。よく見るとカメラで写真をとりまくっている女の子もいる。

このようなことは私には初めての経験だったので、ただ目を丸くするばかり

写真2-1　設立された新しいプライマリー・ヘルスセンターの開所式：アシスタントとともにマアン県での開所式に参加。左側が筆者。

だった。もっとも驚いているばかりでは周りを興ざめさせるので、けっきょくは踊りの輪の中に入って一緒にキャーキャー騒いでその日は終わった。このような形で日ごろのうっぷんを精いっぱい晴らしたと思われるが、女性たちが一同に集まる機会が少ない村々に住む女性たちにとって、この日は本当に楽しかったのではなかろうか。もちろんこうしたことは、男性たちには暗黙の了解なのであった。

女性たちは息がつまる生活をしているのではなかろうか。そう切実に感じたのは、二〇代から四〇代の保健省の女性職員と一緒に調査地のホテルで一週間の寝泊まりをしたときだった。プロジェクトの調査を手伝うということで、未婚者は父親から、既婚者は夫から許可を得て宿泊が許された彼女たちは、水を得た魚のようだった。調査中、それはそれは一生懸命に仕事をしてくれて助かったのだが、私を悩ませる問題は一日の仕事を終えた後に起こった。

「明日の調査に備えての休息なんてとんでもない。どこかに連れて行って。トランプしましょう。歌いましょう。夜は踊りあかしましょう」とにもかくにも自由と言う名の時間を一秒たりとも無駄にしたくない彼女たちは、別人に変身してしまうのである。

さらには、彼女たちのなかで比較的若い二〇代のある女性が、調査のために臨時雇いした若い男性運転手と親しそうに話をしていたという情報までもたらされた。その女性は子どもがいる既婚者である。そんな噂が広まれば、私の頭に浮かぶのは「名誉殺人」だ。責任を持って彼女らを預かっているので、うわさが広まらないようにと本人に厳しく注意しなければならない。自分たちが取っている不用意な行動がどんな危険を招くのか、自分の文化について熟知しているはずなのに「なぜあんなことを」と、今でも不思議でならない。

そのあと村に戻った彼女は、いつものようにヘルスセンターに出勤し、帰宅後は良き妻、良き母親というふだんの彼女に戻っていた。村に戻るといつもの伝統的規範や慣習に則った生活が待っている彼女らにとって、自由への渇望のつよさは私が理解できる範囲を超えているのかもしれない。

3　伝統社会と女性の教育

ヨルダン南部には多くのベドウィンが定住していたが、遊牧の生活から定住の生活への変更は、果たして彼らに幸せをもたらしたのだろうか。

ある村の長老に、そんな疑問を率直にぶつけたことがある。この長老は、以前にこの村の歴史をうかがおうとつぜん訪問したにもかかわらず、私をたいへん歓待してくださった方である。

「ハッジ（老人を呼ぶ時の敬称）、いらっしゃいますか」と、ドアの前で私が大声で叫ぶと、「いるよ、いるよ。おー、このまえ来た日本人かね」とのお返事があり、満面の笑みを浮かべてドアを開けてくださった。

写真2-2　遊牧生活の女性：アカバ県にはまだ、ヨルダンとサウジアラビアを行き来する生活を営む人たちがいる。そのような女性の健康相談に乗る、アカバ県の看護師たち（左側の二人）。

二部屋ある家の客間の方に招き入れられた私は、アラブ式に床に敷かれてある長布団にどかんと座り込んだ。長布団のところどころには、腕を休めることができるよう、横に座布団が積み重ねられている。この客間は家族の寝室にも使われるらしく、部屋の隅には寝布団がたたんである。

ハッジは次の部屋のドアを開けて、「客人だよ」と言って、奥さんにお茶の用意をするようにと伝えた。ベドウィンにとって、客人にお茶をふるまうことは最低の礼儀であり、客人は出されたお茶を一口でも良いので飲んで帰るのもまた礼儀である。ところで、当地ではお茶といっても、薬味のするカルダモン入りアラブコーヒーか味の濃いトルココーヒーである。

「ハッジ、お久しぶりです。お元気そうで何よりです」と私がなつかしげに話しかけると、「よく帰ってきた。待ってたよ」との嬉しいお言葉が返ってきた。そして、「何か忘れ物をしなかったかね」と言われるので「忘れ物ですか。忘れ物はないですけど、最近帽子をなくしました」と答えた。「そうそう、その帽子。わが家に忘れていったよ」とおっしゃる。

「よかったー。気に入っている帽子なので探していたんです」「そうかい。じつはね、帽子を見つけたときは返そうと思ったけど、そのあと考えを変えたよ。あんたが来た記念として、帽子はもらっとくことにしたよ」とのお返事である。そのときはどう返答してよいかわからず黙ってしまったが、返してくれない理由は今でも謎のままである。観光地であるワディ・ラムに比較的近い村なので、そんなに外国人が珍しいとも思えない。客人を大事にする文化があるので、客人としての私の訪問を記念したいのだろうか。

　さて、ハッジの奥さんは、女性である私の前にも姿を見せたくないようなので、ハッジ自らが隣の部屋からトルココーヒーを運んできてくれたところで、話を切りだした。「じつはね、ハッジ。いろいろな村を回ってみてこのごろ感じることがあるんです。遊牧民であるあなた方が定住したことは、正しい選択だったんでしょうか。長老としてのあなたのご意見を伺いたいんです」

　彼はしばらく考えていたが、「女性にはよかったんじゃないか。定住したら教育を受けられるようになったからね。それに遊牧の生活は過酷だったから、女性は大変だったと思うよ」と答えた。

　コウル博士[*4]が一九六八年から一九七〇年に調査したサウジアラビアの砂漠を移動するベドウィンは、長期間水を飲まなくても生存可能なラクダを使って、自身の井戸がある本拠地をスタートしたあと、広大な砂漠を動き回り、一年後に本拠地に戻っていたという。一緒に移動する女性はと言えば、テントを織ることはもちろんのこと、移動するときはそれを畳んだり運んだり、そして再び組み立てるという全ての作業を担う。そして砂漠のどまん中で、家事をいっさい切り回す厳しい生活環境が推察される。[*5]
　私自身、ヨルダンの土漠にテントを張って居住するベドウィン一家を訪ねたことがある。テントの外で遊んでいる数人の兄弟を見ると、顔も髪も薄汚れている。明らかに、何日間もお風呂に入っていない。衣服も薄汚れている。テン

写真3−1　ヘルス・エデュケーターの訓練1：ヨルダン保健省は、高卒の学歴を持つ南部の村在住の中から五五名を選出し、ヘルス・エデュケーターとして雇用した。この写真は、マアン県から選出されたヘルス・エデュケーターを、保健省とプロジェクトが協力して訓練しているところ。

＊4　Donald Powell Cole　一九四四年生まれ。アメリカ人の文化人類学者。
＊5　ベドウィンの生活環境　D・P・コウル著、片倉もと子訳

トに入ると、二歳ぐらいと思われる子どもが一人眠っていたが全く動かない。「障害を持っていて動けない」と、母親は助けを求めるかのように言った。

遊牧民と聞くとロマンチックに聞こえるが、実際の生活を垣間見れば過酷な環境下で生活していることは明らかであり、さらには近代的な教育を受けていない遊牧民の子どもは、成長しても牧畜以外の分野で定住民と同等な仕事を得ることが難しいのは容易に推測できることである。

「じつはね、うちの娘は村で最初に大学に行った女性なんだよ。今は村の（女子）中学校の校長をしているがね。女性に教育なんか必要ないってまわりに忠告されたけど、わたしは女性の教育は大事だと思っていたから」とのことだった。父親の理解があって教育を受けられたハッジの娘さんは幸運な人である。

保守的で知られるマアン県出身の女医さんに出会ったときに、「超保守的な県の出身であるにもかかわらず、なぜあなたは大学に、しかも医学という多くの同僚が男性である職場を志すことができたのですか」と尋ねたことがある。彼女の答えも「父親が全面的にサポートしてくれたから」というものだった。

また、二〇〇一年から二〇一〇年まで国連人口基金の事務局長を務めたトラヤ・オベイド氏は、サウジアラビア出身だったので、彼女とお話をする機会があったときに同じ質問をした。「サウジアラビア出身ということでお伺いします。あなたは単身でアメリカに留学し、博士号まで取得しました。なぜそのようなことができたのですか」彼女の答えは「父親の理解のおかげです」だった。

『遊牧の民　ベドウィン』社会思想社（一九八二）

写真3-2　ヘルス・エデュケーターの訓練2：家庭訪問の訓練を受けている（右から二人目。彼女の後ろにいるのは指導者）。

このようにアラブ女性の教育は、家長として家族に関するすべての決定権を握る父親の考え方が大きく影響すると思わざるを得ない。

4　社会への進出をいかに果たすか

われわれのプロジェクトは二〇一一年に、一五歳から四九歳までの既婚歴のある南部の村在住の女性を対象にした社会・保健調査を実施した。その結果によると、無作為に抽出された対象女性のうちの二五％、すなわち四人に一人がいわゆる学校に行ったことのない女性だった。

南部でもカラック県やタフィレ県に比べ、定住や半定住しているベドウィンが多く住むマアン県とアカバ県の村の女性の非就学率は、それぞれ二九・一％と四二・四％と高く、南部の村と一口に言っても、県レベルで地域格差があることを示していた。

就学の内訳をみると、小学校または中学校にしか通ったことのない女性の全国平均は二三％（二〇〇九）であるが、南部の村の平均は三二・五％だった。高校まで通った女性は、全国平均では四三％（二〇〇九）だが、南部の村平均では二三・六％と低くなった。そして短大・四年制大学・大学院に通った女性の割合は、全国では三二％（二〇〇九）だが、南部の村落では一八・九％だった。とくにアカバ県の場合は、短大以上の高等教育を受けた女性はわずか六・八％と、極端に低い結果が出た。これらの結果は、ベドウィンの間で、女性の教育があまり重要視されていないことを示す。

ヨルダン南部には、総合大学が二つある。しかし、南部出身の女子学生が選ぶ専門分野には、かなりの隔たりがあるようである。

たとえば、日本では看護師は女性にとって身近な職業であるが、保守的な南部地方でも、さらに保守的と知られるマアン県の総合大学の看護学部には、かんじんのマアンに住む女性からの応募があまりないと聞いた。看護は、見知らぬ人と話す機会が多いだけではなく、見知らぬ人の身体にまで触れるということで、人気がないのである。

優秀な学生が集まるアンマンの国立大学の看護学部を訪ねたことがあるが、教室から出てきた学生さんのうち半数は男性だったことに驚いた記憶がある。最近は変わりつつあるとはいえ、それでもまだ日本では看護師＝女性という固定観念が残っているような気がするのだが、ヨルダンでは逆に、看護師は女性に人気の職種とはいえないようである。

考えるまでもなく患者には女性も男性もいる。保守的な南部では、男性の看護師が女性の患者に話しかけたり、ましてや身体を触ったりすることは難しい。したがって南部での女性の看護師養成は喫緊の課題と言ってよいだろう。

南部の女性が多く志望するのは、幼稚園や小・中・高校の教職につながる学

写真4−1　カウンセリング：カラック県のヘルス・エデュケーター（奥）が家族計画についてカウンセリングしているところ。このヘルス・エデュケーターは二八歳くらいで、子どもが二人。ここの仕事を通して看護について関心を持ったので、さらに学ぶために大学受験を考えている。

部のようである。ヨルダンの公立学校の場合、小学校五年生から男女別学となるので、それで学校は女性にとって安心・安全な職場と思われているのかもしれない。とはいえ村出身の女性の多くは、女性に人気のある学部に入学できるだけの点数にまで到達しない場合が多いと聞いた。したがって四年制大学を卒業した村出身の女性は、「選ばれたる者」と考えて良いだろう。

では中学や高校を卒業した、読み書きができる村の女性は何をしているのだろうか。けっきょく、女性が中学や高校を卒業したあと社会に出て働きたいと願っても世間体にはばまれ、仕事に就くことは難しいというのが現状である。よそ者の私からすれば、ウエイトレスや店員といったサービス業の仕事に従事するのが手っとり早いと思うのだが、「これこそあまりに不特定多数との接点が多い恥さらしな職業」なのである。

女性が自分の道を切り開いていく力をつけるうえで、教育は一つの重要なツールであることは言うまでもない。しかしヨルダン南部の村落のようにベドウィンの伝統や慣習が色濃い社会では、「女に教育をつける必要はない」という考えがまだ根強い。身内、とくに家庭で意思決定権を持つ父親の理解や協力がなくては、女性が望むような教育を受けることは困難といえる。さらに学校に行っても、高校くらいの教育レベルでは社会慣習に縛られて思うような仕事につけないため、仕事を得る機会も限られている。

それで、多くの女性にとっての残された道は結婚ということになり、このこ

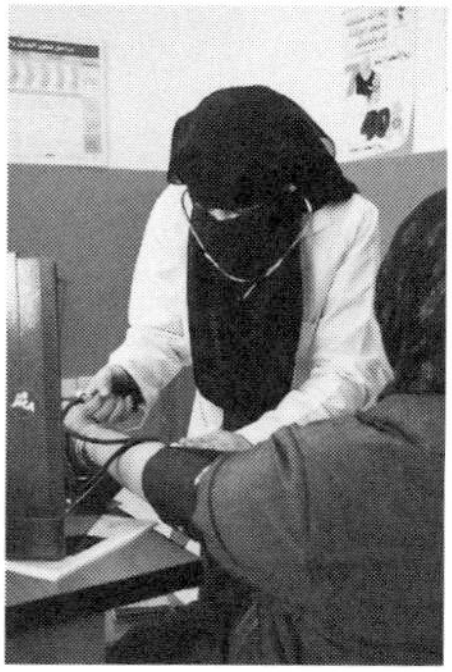

写真4-2　血圧測定：マアン県のヘルス・エデュケーターが、村落ヘルスセンターを訪ねてきた女性に血圧測定をしているところ。村落ヘルスセンターには、今まで男性の保健省職員しか駐在していないため、村の女性がここを利用することはなかった。しかし、プロジェクトが始まってからヘルス・エデュケーターが駐在するようになり、健康相談にのってもらうために村の女性が気軽に訪ねるようになった。

とが結婚を「束縛の多い家庭環境から解き放ってくれる唯一の手段」と思い込んで、早々と一〇代で結婚する、いわゆる早婚の原因の一つになっているようである。

しかし繰り返すが、部族社会の伝統が強い社会では、結婚しても夫が絶対的な意思決定権を持つことになり、妻は夫が求めるままに子どもを産み、そのうえ家計や子どもの教育についても発言権がないという関係になりがちである。

私たちのプロジェクトでは、女性のエンパワメントを達成する近道の方法として、対象者である既婚女性に経済力をつけてもらうことをめざし、第1話で述べたように、女性を対象に養蜂、裁縫、それに羊や山羊の飼育といった収入創出活動を実施した。自分で稼いだお金を自分が管理し、自分が使う。その結果、このようなプロセスを経験した彼女らは、自分自身に大きな自信を持つようになったことが観察された。同時に家計を支援する役割も果たすようになり、夫への依存状態から抜け出たため、今度は夫が妻を尊敬し、思いやるパートナーとして変化していった様子も見て取れた。

アラブ女性のエンパワメントを考える場合、教育などをツールとして、女性の社会進出や女性の地位向上を図るといった長期目標を持つことは重要であるが、実際には自信や意思決定権を持つプロセスを通して、まず父親や夫といった影響力のある周囲との関係を変えるところから始めることが、大きな目標を達成する第一歩であることを私たちのプロジェクトは語っていると思う。

5　男女席を同じゅうせず

日本には「男女七歳にして席を同じゅうせず」という言い回しがあるが、今これを守っているわけではない。しかしイスラム社会では、七歳と厳密に規定されてはいないものの、先に話したように男女が一緒に集まらないという社会規範がある。ヨルダンの生活に慣れていなかった私が体験した出来事を話してみたい。

冠婚葬祭は日本と同様にヨルダンでも、人と人とのつながりを再確認するとても重要な行事である。したがって親しくしているヨルダン人から結婚披露宴やお悔やみの場に招かれると、かならず顔を出すように心掛けた。

だがヨルダンに来て初めて、アンマンに住むヨルダン人の自宅で行われた結婚披露宴に行ったときはひどく驚いた。花嫁を取り囲んでいるのが女性ばかりだったのだ。しかも、スカーフを頭に巻き付けている人など一人もいない。まして や、顔を隠している人なども いない。その女性たちの華やかなこと。いつもは地味な格好をした女性たちが、このときはまさに満を持して、いっせいに花が咲いたような華やかさである。

彼女らの顔を見ると、すでに大きな目をしているのに、その周囲はさらに黒で縁取りされてもっと大きな目になっている。おまけに唇は真っ赤に塗られ、大きな唇がさらに大きく見える。頬には頬紅が惜しげもなくついている。衣装はといえば、一様にきらびやかなイブニングドレスを装い、白い腕が肩から露わに出ている。このようなめったにない華やかな機会を利用して、ふだんはできない派手なおしゃれを思いっきり楽しんでいるのである。

この光景にどぎまぎしながらも、花婿の姿が見えないので「花婿はどこにいるんですか」と横にいた女性に聞いたところ、花婿の自宅で男性の親類縁者や男友達に祝ってもらっているとのことだった。

その返答を聞いて「えー、花嫁さんの夫になる人がどんな人かわからないで帰るの」と思っていると、意外にも花婿がとつぜん私たちのいる居間に現れた。花婿が私たち女性群に満面の笑みで挨拶すると、大音量のアラブ音楽が鳴り始め、花婿は手慣れた感じでその音楽に合わせて花嫁と一緒に踊り始めた。私を含めて招待された女性たちは、すぐに花婿と花嫁を囲んで手拍子をとり、踊りを盛り上げる。

しかし一〇分ほど踊ると、花婿は男性たちが待っている自宅にさっさと帰ってしまった。どんな人が夫になるかわかったことはわかったのだが、次に会っても彼には気が付かないだろう。男性と女性が親しく話す文化でもないので、次にお会いしたとき彼に気付かず挨拶しなくても、失礼にはあたらないことを願っている。

ふだん目立たないようにしている女性たちにとって、結婚披露宴はのびのび

写真5－1　男性だけの集会1：マアン県で、男性だけが参加した集会の一場面。家族計画などのセンシティブな話になると、難しい顔をして聞く男性が多い。

と本来の自分をさらけ出し、自己主張できるとても貴重な時間であると感じた。女性だけの結婚披露宴は、華やかな姿をした女性たちが陽気にしゃべり踊るので、参加した私も楽しく感じた。しかし亡くなった方を弔う行事となると、そういうわけにはいかない。

ヨルダン人の男性同僚の身内が亡くなったとのことで、日本人の女性の同僚を誘って初めてお悔やみの場に参加した。場所は彼の自宅。行ってみると、小さなアパートだった。狭い居間に案内されると、大勢の人が集まっている。見ると全員女性で、黒い服を着てソファにぎゅう詰めですわっている。居間を見渡しても、私の男性同僚の姿は見えず、知らない人ばかりだ。あとでわかったが、彼の自宅は女性が集まる場所として使われていたのだ。

困った顔をして立っていると、喪主の身内と思われる女性が現れ、「よく来てくれました」と言ってくれたが、それだけで去ってしまった。何をどうしてよいかわからない私たちはそのまま立っていたが、二人の女性が気を利かせて席を立ち、ソファを譲ってくれた。そこでその場所にすわり、他の訪問者同様にじっとしていることにした。ときどき隣同士で会話する声が聞こえるくらいである。

お茶が出てくるわけでもなく、だれかが話しかけてくれるわけでもなく、ただじっと黙っているばかり。本当に手持ち無沙汰になった。何時間座っていればよいのかわからずとまどうだけであったが、「喪に服す」とはこういうことをいうのかと思いながら、二時間くらいすわってその後帰宅した。

このような具合に「男女席を同じゅうせず」を実体験したわけだが、現代社会においては結構やっかいな問題だと思う。

たとえば、公共バスやレストランは男用・女用に分かれていない。さすがにそのような非効率的なサービスは提供されていないわけだ。イスラム黎明期には、まさかバスやレストランが登場するとは思わなかったので、シャリーアにバスやレストランの中での所作は書かれていない。しかし公共バスの中では可能な限り、他人同士の男女二人が並んですわらないよう気を付けているようには感じる。

レストランにしても、目以外は身体を覆っているアバーヤと呼ばれる伝統的衣装に身を包んだ女性たちは、それなりの工夫をしている。食べるためには顔の布を上げなければならないが、その所作をするとき他の人に見えないような位置にさりげなくすわっている。「男女席を同じゅうせず」であっても、時代の変化に柔軟に対応しながら生活しているのが、今を生きるヨルダンの人々なのである。

私自身、ヨルダンに住んでいるうちに「男女席を同じゅうせず」の習慣が自然に身についていった。そのため、帰国してしばらくは、隣に見知らぬ男性が座る電車やバスに乗るのが苦痛だった。

隣に男性が座ったとき、わたしの身体が男性の身体に極力触れないように気を付け、それが無理な場合は立つことにした。しかし日本に住み慣れてくるに

写真5－2　男性だけの集会2：テントを張って屋外で実施した啓発活動。男性と女性を一緒に呼ぶことはできない。

つれ、このような気遣いも消え失せた。「郷に入れば郷に従え」とはよく言ったものである。

第3話　アラブ世界と関わる方法

１　交渉することの意味と重要性

私はヨルダンに来たからにはヨルダン社会に溶け込もうと決意した。そして、この決意のもと、アラブ世界と関わるうえで身につけるべきノウハウを徐々に学んでいった。ここではこのノウハウのなかで、知っていて絶対にお得と思われることについてお話ししたい。それは交渉することの重要性である。

ヨルダンに住むにあたり、まず知らなくてはならないと思ったのは、「ヨルダンの警察官にわいろは必要か」ということだった。アンマンは公共の交通機関があまり発達してないので、自家用車を持つことにした。ケニアで車を運転しているとき警察官に難癖《なんくせ》をつけられ、わいろを要求された経験を持つ私としては、ここで生きていくためわいろを要求されるかどうかを知ることは重要だった。

そこで、プロジェクトで一緒に働くヨルダン人の同僚に「警察官にわいろを渡す必要があるのかしら」と率直に聞いたところ、「とんでもない。そんなことしたらつかまっちゃうよ」と言われ、「でもシリアやエジプトはＯＫだけどね。むしろあげないと大変な思いをするよ」と忠告された。

けっきょくヨルダン滞在中に計三回、警察官に車を止められた。三回とも警察官が難癖をつけたのではなく、「違反になるかならないかきわどい」と思われる行動をとったときだった。みごとに「ピー」と笛を鳴らされたが、三回とも罰金を払わずに済んだ。それは警察官に交渉したからである。たとえばこんな具合だ。

「君、信号が赤なのになぜ左折するんだね」

「信号は赤ではありませんでした。黄色だったのに、曲がっている途中で赤色になっちゃったんです。私のせいではありません」

「だけどね、最終的には赤で君の車は動いていたよ」

「だけど、最初は黄色だったんですよ」

「ヨルダンでは、黄色で渡っちゃいけないんだ」

「でも、日本では黄色は〝注意して渡れ〟なので、許されているんですよ」


「日本は黄色で渡っていいんだっけ？　法律が変わっていなければいいけど」と思いつつも、五〇ヨルダン・ディナール（JD 現在の換算レートでは約七、七〇〇円）の罰金を払いたくないばっかりに一生懸命だった。[*1] とにかくねばってねばって一時間後に許された。このような日常的な経験を積み重ね、ヨルダン人に負けないような交渉力を身につけていったと思う。

　そして、もう一つ感じたのは、交渉している時は時間を気にしないこと。気にしたら負けなのだ。習得したこの交渉力は、プロジェクトでもいかんなく発揮され、最初は無理だと思われていたことがかなりの確率で可能となった。

　海抜約マイナス四百メートルと、地表でもっとも低いといわれる場所に死海

＊1　ヨルダンの最低賃金は当時八〇JD（約一万二三〇〇円）

がある。死海といっても海ではなく湖で、塩分濃度が高いため人は浮いてしまって泳げない。この死海に沿って点在する四村落は、ヨルダンの貧困地域として知られていた。プロジェクトはその貧しさゆえに、まずこの地域をプロジェクトの対象地域と決めた。

この地区には、産前検診や出産のために妊産婦が利用する小さな総合病院があるので、そこで妊産婦を対象に家族計画や、とくに受診率が低い産後検診の重要性についての啓発活動を展開することにした。この活動を準備するにあたり、病院長はもちろんのこと病院勤務の三人の産婦人科医師にプロジェクトへの理解と協力を求めた。

ところが、そのうちの一人が頑強に協力を拒むので困ってしまった。彼に会ったとき、「アメリカとは仲良くやっているのかね」と聞かれたので、何も考えずに「はい、仲良しですけど」と回答したのがまずかったのはあとでわかった。彼もどうやら、家族計画はアラブの民を減らすためのアメリカの陰謀の手段として使われていると考える類の人だったのだ。ヨルダンは親米国として知られるが、ヨルダンの国民自体は、イスラエル寄りであるアメリカを総じて好ましくは思っていない。そして極右的思想を持つ人は、この医師のように正面切って反米的態度を示す。

しかし、私はどうしてもこの企画をあきらめることができなかった。プロジェクトが人を集めるのではなく、受診するためすでに病院に集まっている女性を対象とするのは、たいへん効率の良い方法だったからだ。

写真１－１　保健省母子保健センター助産師への訓練：カラック県に数カ所ある母子保健センター勤務の助産師を集めている。産前・産後検診や家族計画の重要性に気づき、母子保健センターに足を運ぶようになった女性が満足するサービスを受けられる、そんな環境づくりを行うことは大切。（井本敦子氏提供）

プロジェクトへの協力を拒否した医師は、私が病院に現れるのも望んでいないとのことだったので、彼に会うことは断念し、トップである病院長に彼を説得してもらう作戦をとることにした。ところがである。その病院長は「気乗りがしない」という。わかったのは、院長がキリスト教徒だということだった。しかるに、家族計画に反対している医師はイスラム教徒である。

「この地域でマイノリティーであるキリスト教徒が、マジョリティーであるイスラム教徒の住民に家族計画を推進するそぶりを見せるのは問題を作りかねない」と病院長は言う。

それを聞いて「ここで引き下がれば、何のためにはるばる日本から援助に来たのか」と私は思った。そこで病院長を説得する戦略に切り替えた。病院長室を毎日訪ね、プロジェクトがただ単に家族計画をめざしているのではなく、地域住民の生活の質の向上を手助けしていること、証拠として女性の収入創出活動にも着手していることなどを、あれやこれやの言葉を使って説明した。

ある日いつものように病院長を訪ねると、「彼に話したよ。そしてあんたに代わってプロジェクトの説明をしたら、『ぼくが病院に現れない日は活動をしてもよい』と言うんだ。だから火曜日と木曜日を除いては活動してもいいよ」

全面勝利というわけではなかったが、いわゆるセンシティブな問題をとにかくねばりにねばって交渉した結果得た、それなりの成果だった。

その後、待合室で待っている妊産婦を病院提供のセミナー室に招き入れ、家族計画や産後検診の重要性について、懇切ていねいにお話しするセミナーを定

写真1-2　個人宅での啓発活動：アカバ県の村の個人宅で、村の女性を集めて実施した。一番左の女性は、自分の意見を述べている。男性がまわりにいないと、女性は活発に意見を述べる。

期的に開催できたことは、プロジェクトの活動のみならずプロジェクトの存在を知ってもらう裾野を広げるうえで大いに役立った。

こんなこともあった。ヨルダン政府は、政策の一環として遊牧民であるベドウィンの定住化を推進している。プロジェクトはそんなベドウィンの定住村落も対象とした。そこに住む住民との信頼関係を築くために、手始めに比較的最近定住したあるベドウィン村落の女性に的を絞って、彼女らを村に一番近いヘルスセンターに連れて行き、健康診断を受けてもらうという企画を立てたのだ。

だが村落を仕切る部族長から即座に「だめだ」と言われてしまった。私が部族長に交渉することになったが、交渉する前、直観的に今回の場合はどう考えても粘っただけでは成功しないと感じた。部族長が断った理由について相手の言い分をじっくり聞いてみなければならない。じっさいに聞いたところ、「健康診断は受けたほうがいいとは思うが、女性を村から出して、他人の目にさらすことはできない」という理由だとわかった。

「ではこちらでミニバスを用意するので、運転は村の人にやってもらうことにします。ヘルスセンターの待合室も彼女たちだけの部屋を用意します。いかがでしょう」と提案してみた。部族長は「待合室から医師に会うまでに他の人に見られないかね」と念を押される。「医師に会うときも他の人に見られないよう、待合室の真ん前の部屋を医師に使ってもらいますね」と答えたところ、「そうしてくれれば問題ない」という回答をついに引き出すことができた。

写真１-３　村の集会場での啓発活動：カラック県の村の集会場に女性を集めて。立っている女性は、助産師で、のちにこの本に出てくるママムニラ。産前・産後検診の重要性について参加者に意見を求めている。

その直後「ところで医師はもちろん女性だよね」と突っ込みが入った。内心、「あ、そうか。気が付かなかった」と思いながら「もちろんです」と自信たっぷりに答えた。あげくは「あなたを信用しよう」ということになり、こちらの企画が通ったのだった。

健康診断の当日、用意したミニバスの横に立っていると、今までどこにいたんだろうと思われるほどの大勢の女性がやってきた。なかには一度お見かけした部族長の妻と娘もいたので、私は嬉しくなった。けっきょく一回では乗り切れず、三回に分けて運んだ。久しぶりに村から出られるということで、女性たちは大はしゃぎしている。嬉しそうな彼女たちを見てこちらも心がウキウキしてきた。

このような成功経験からも、交渉する前にはまずじっくりと相手の話を聞き、交渉への糸口を得るだけの情報収集をする、そして交渉に臨むということが、計画の達成には重要な点であることも学んだわけである。

アラブの人々は老若男女が良くしゃべる。いわゆる弁舌さわやかなので、相手とのピンポン会話を楽しみながら信頼関係を構築していく。このような文化だから、何かあったときは交渉する。そして粘る。相手の話もよく聞く。同時に、日ごろの生活では彼らのプライドを傷つけない話し方に留意する。このようなこつを身につけるようになってから、アラブでの生活ががぜん楽しくなっていった。

写真1-4　最近定住した部族長：寝るときだけは政府が建てたセメントブロックの家を使うが、それ以外は庭に張ったテントで生活する。

2　幅を利かす「ワスタ（コネ）」の功罪

ヨルダンに赴任してまだ一カ月もたたないころだった。とつぜん、私のオフィスに若い日本人女性が現れた。
「あなた、最近到着したＪＩＣＡの専門家？」と問われたので、素直に「はいそうですが」と答えたところ、彼女は青年海外協力隊の隊員で、私が関係する王室系ＮＧＯに三年前に配置され、そろそろ帰国するとのことだった。

ひとしきり自分が今まで何をしてきたかを話されたあと「まだヨルダンに来て間もないということで、一つ良い言葉を教えときますね。それはワスタ。これは覚えておくと便利ですよ」と言って帰られた。

「ワスタ」とは、あいだに立つ者、仲介者というような意味。ただし生活していて「ワスタ」に接すると、日本のいわゆるコネに近いと感じる。アラブ世界では「顔で仕事をする」とよく言われるが、要はワスタで人間関係が動いているのだ。それがあるとないとでは生きるうえでの快適度が違う。若者が職を得るのにワスタが必要であるし、商売をするときも、顧客の開拓や商品の調達などはワスタを使って行われる。

たとえば、現地の人に物品の購入や修理についての相談をすると、必ず自分が知っているお店や業者を紹介され、「私が信頼できるお店（業者）を知っているから」と友人や自分の近所、または親戚の店に連れて行かれたりする。

すなわち私にとって仲介する人は、信頼できる店や業者を紹介してくれる人という意味でのワスタであり、業者や店にとっては顧客を連れてきてくれる人という意味でのワスタというわけである。万事がこんな調子で、ワスタはまさに社会に浸透している「慣習」であった。

赴任当初にこんなことがあった。日中仕事をしている私に代わって、家族のために運転手を雇うことにした。ヨルダン人の同僚に「だれか良い運転手はいないかしら」と頼んだところ、さっそく二〇代の若者を紹介された。だが初日から、「雇った運転手は運転ができない」と家族から文句を言われた。雇った手前、私は「車に慣れてないだけじゃない。もう少し様子を見よう」と言い放ってその場は事なきを得た。数日後、警察から電話があり、「お宅の車がバスと衝突し、運転手は知らない間にどこかに消えてしまった」と言う。

事故が起こってしばらくしてわかったことがある。一つは、若者は運転免許証を持ってはいるが、免許を取ったあと運転したことがない。もう一つは、この若者と私の同僚は同じ部族であり、家族ぐるみのお付き合いをしている。つまり運転手を頼んだのに、全くワスタだけで紹介されてしまったのである。

協力隊員から教えてもらったにもかかわらず、私は早々とワスタで失敗したわけであるが、逆にワスタで自分が助けられる経験もした。

前にふれた、ハーシム王家とともにトルコ軍と戦った由緒ある部族の部族長

写真2−1　新保健大臣にご挨拶‥「新任の保健大臣がマアン県を初めて訪ねるので、ここまで挨拶に来てほしい」との依頼がマアン県の保健局長からあり、わざわざアンマンからマアン県に駆けつけて新大臣に挨拶しているところ。中央は、仲介役を果たした県の保健局長で、ほこらしげな様子が見てとれる。

の村で起こった出来事だ。その村でわれわれのプロジェクトが開始されたが、いざ始まってみると、村人同士の間に結束が見られず、お互いに足の引っ張りあいをしているとしか思えない状況に陥っていた。

聞き込みをしたところ、この部族長には部族長の座をねらっている不仲のいとこがいるとのこと。そのため部族長が許可した私たちのプロジェクトが村でワークショップを開催すると、かならず部族長のいとこの一味が乗り込んできてそれをぶちこわしているようなのだ。

それがはっきりした時点で、私はこの問題を私のワスタで解決することにした。すなわち、私のカウンターパートである県の保健局長にこの問題の対処を依頼したのだ。彼は「あなたは私の友達だ。助けるよ」と約束し、確かにその後、プロジェクトへのいやがらせは全くなくなった。彼は県の上層部にこの問題を持って行ったようで、上層部から直接そのいとこに叱責があったらしい。私にとって、これはまさにワスタを有効に生かした例と言えるであろう。

プロジェクトが開始された当初、関係者からはよそ者として警戒され、社交辞令的な扱いしか受けなかったが、地域の慣習や価値観をむやみに否定せず、村の発展にすぐにつながるような活動も取り入れることによって、少しずつ信頼関係を熟成していった。いま振り返ると、この信頼関係構築の作業こそがじつはワスタ作りになっていたのだと思う。

プロジェクト開始前には、部族長の家で村の有力者を交えて話し合うことは前にお話したが、プロジェクトにとってこの話し合いは、部族長から活動の許可を得ると同時に、部族長と話をつけることで村の有力者や村民から信頼を勝ち得る意味でもとても重要だった。

もちろんプロジェクトはそれだけにとどまらず、他にもいろいろな事業に取り組むことで、部族長は言うに及ばず地元の行政官、村の有力者、それに一般村民からも大きな信頼を得る努力をした。たとえばテレビに頻繁に出演する大人気のイスラム宗教者をお呼びして、母体の安全のため最低でも二年間の出産間隔をあけることはイスラムの教えであることを説いていただいた。また、ひとつの体と魂から創られた男性と女性は平等であることも説法していただいた。

また健康や家族計画についての啓発と、無料診療をドッキングさせた「村の健康祭り」を開催した。保健省勤務のヨルダン人医師の尽力により、製薬会社が薬を無償で提供してくれたおかげである。さらに村の女性の自助グループ設立を支援したり、一九八〇年代に建設されてから一度も修繕が行われていない、保健省管轄の村落ヘルスセンターを修繕・改築したりした。村人から強い要望がある場合は、視察後に必要に応じて新たな村落ヘルスセンターも建設した。

このように信頼関係構築を通じて、結果として地元の行政官や部族長を始めとする地域の実力者とのワスタが出来あがると、面白いことに今度は信頼され、また地元の人々に便宜や利益を提供するかもしれない私自身までワスタとみなされるようになった。

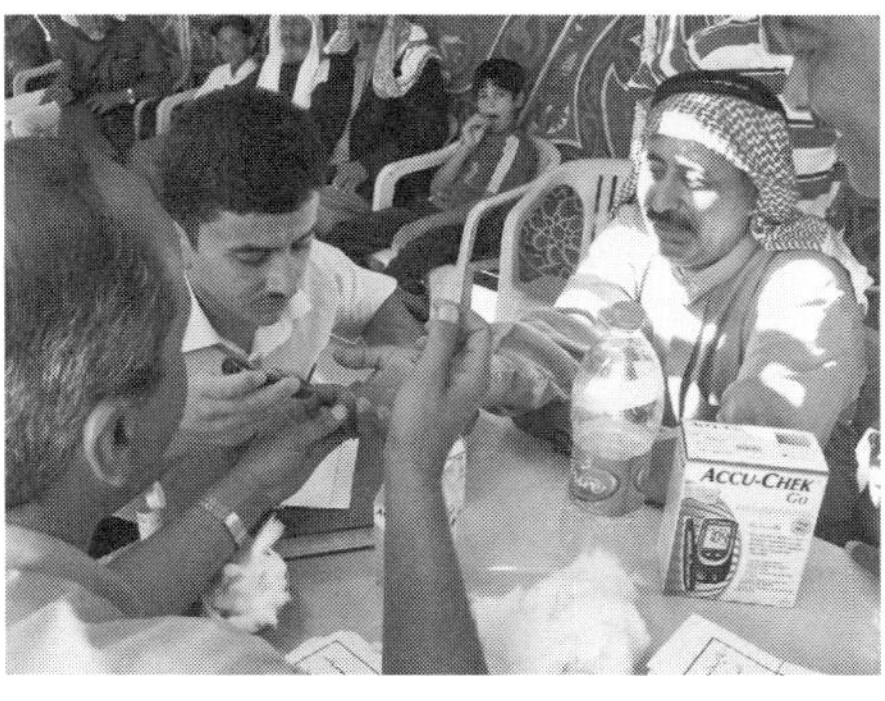

写真2-2　健康祭り1：マアン県の村での「健康祭り」の様子。製薬会社から派遣された職員が、希望する住民を対象に血糖値の簡易検査を行っているところ。

「サトーの言うことだから間違いない」「サトーがわざわざ話に来たのだからＯＫする」と言うふうに、難しい問題も円満に解決されることが多くなったのだ。これはしっかりとワスタ作りがなされたことを意味し、ワスタにより活動にはずみがついたと言える。ワスタとなれば、女性男性の区別はない。しかし女性の社会進出が難しいアラブでは、女性のワスタはそれほど多くはないだろう。

こういう状態になると、驚いたことに今度は私の下で働いているヨルダン人スタッフと日本人専門家までもが、私の名前を勝手に使って物事に対処するようになった。「ドクターサトーも言っていますように」とか「ドクターサトーはこのことを知っています」とか、私の名前が独り歩きしていたのである。あるとき日本人の同僚に「なんか私の名前が勝手に使われている気がするんだけど」と言ったところ、「当たり前ですよ。それで守ってもらってますから」と即答された。

ワスタは部族長がリーダーシップを発揮する上での強力なツールである。「彼（彼女）に頼めば間違いない」「彼に従っていれば自分は安泰だ」という気持ちを自分の部族の民に持ってもらうことは、部族内の秩序を保つ上で重要である。

ヨルダンでは、ある部族に出世頭が現れると、彼が同族の者をそれなりのポジションに次々と引き上げていき、その部族が社会の多様な場所にネットワーク的に配置され固定化される傾向がある。アブドゥーラ現国王は、国王就任当初にこの社会の固定化を問題視して、ワスタを批判した。

写真２-３　健康祭り２：マアン県の村の「健康祭り」で、子だくさんの夫婦の持つ悩みを、アンマンにある「舞台芸術センター」（ＮＧＯ）所属の俳優が演じているところ。啓発のツールとして演劇を使うと楽しみながら学べるので、娯楽の少ない村では大変人気が高く、集客力がある。問題は、わざわざ俳優をアンマンから泊まり込みで呼ばなくてはならないことだ。

しかし、ワスタが実力主義に打って変わられれば、ワスタを持たない部族長の存在意義は薄れ、部族社会の崩壊は目に見えている。ワスタではなく実力を重視するというメッセージは、ワスタを必要とする地方の部族長たちから大きなブーイングを受けたのだろうか、一年もたたないうちに国王がワスタについて言及することはなくなった。現国王は社会に流動化をもたらすためワスタを批判したのだと思うが、伝統的な部族社会が根強く残っているヨルダンでは、ワスタをなくし実力主義を浸透させようという国王の訴えは、社会革命を意味するほどの大きな話であり、就任直後の国王には荷が重すぎたのだと思われる。だが近年のヨルダンの社会経済状況を見ると、確かにワスタの弊害は大きくなっている。

資源のない小国ヨルダンでは、人口増とともに社会での競争に打ち勝つため、教育を投資と考えるようになったと推察する。近隣諸国に比べて男女の教育レベルは高く、手元にある最近の資料を見ても、*2 既婚歴のある一五歳から四九歳までの女性のうち四二％は高校まで在籍したことがある。また大学や大学院に行った女性は三六％にも上る。

いっぽう二〇一五年の国勢調査結果によると、二五歳未満のヨルダン人男女の人口は全体の約五五％を占める。*3 シリア難民が流入して以降、ヨルダン人の合計特殊出生率（女性が一生に産む子どもの数）は下がってきているとはいえ、学

写真２－４　県政府高官への協力要請：保健省が新規に雇用し、私たちのプロジェクトと連携して育成しているヘルス・エデュケーターが新たに始めた家庭訪問の活動について、南部各県にある関係諸機関の長や高官に直接私から説明し、支援と協力を求めた。地元の関係諸機関の長や高官と信頼関係を構築するうえで、プロジェクトリーダーである私自らがこのような機会を設けることは重要である。この写真はカラック県での様子。

＊2　Jordan Department of Statistics and ICF (2019) *Jordan Population and Family Health Survey 2017-18: Key Findings*. Amman, Jordan, and Rockville, Maryland, USA: DOS and ICF.: p.2.

＊3　Jordan Department of Statistics (2016) *Population Projections for the Kingdom's Residents during the Period 2015–2050*.: p.16. http://www.dos.gov.jo/dos_home_e/main/Demograghy/2017/POP_PROJECTIONS(2015-2050).pdf（二〇二一年二月一四日閲覧）

校を出ても男女ともになかなか仕事が見つからない現状がある。実力はさほどでもないのに、ワスタがあるだけで職を得る人がいれば、実力はあってもワスタがないばかりに職に就けないいない多くの若者が存在するのは、由々しき問題ではないだろうか。

ヨルダンには、機会の均等を実感していない若者が多くいる。この状況は二〇一〇年以降、近隣諸国に起こった「アラブの春」に対するヨルダン社会の危機感を高め、現在ではシリア難民流入に伴う不安定な社会状況に拍車をかけている。

人口が少ない時代は、ワスタで動いていた社会のほうがより安定していたのかもしれないが、今やワスタという慣習は見直しを迫られていると考えて間違いない。いまだ表立ってその動きが見られないのも事実ではあるが。

3　イスラム宗教者の大きな役割

私たちのプロジェクトでは、超保守的と思われる村で活動に着手するさいにはイスラム宗教者に同行してもらい、まず彼の口から「**家族計画や女性のエンパワメントはイスラムの教えに反していない**」とのお言葉を、村の住民に伝えていただくことにしている。モスクは各村にあるので、村の宗教者がお話しくださってもよいのだが、やはりいつも金曜日にお説教されている顔なじみの村の宗教者より、テレビやラジオなどで知名度が高いカリスマ宗教者をお呼びしたほうが、プロジェクトの好感度が急激にアップすると考えたからである。

プロジェクトでは、まずテレビで有名な某宗教者に白羽の矢を立てた。彼は有名なだけでなくリベラルな考えの持ち主で、家族計画や女性のエンパワメントについて深い理解を示している方だと聞かされていたのである。この宗教者がプロジェクトに協力することに同意し、初めて村のセミナーにやって来ることが分かったときは、村人からどよめきが起こり、次には「あんな有名な人が本当に来るんですか」という問いが発せられた。

当日は大変な騒ぎとなった。彼の説法を聞こうという老若男女が会場の広場を埋めつくした。ついに彼が会場に現れると人々は立ち上がり、拍手で出迎えた。上品な笑みを浮かべて現れた宗教者は、六〇代半ばくらいで、あごに白髪がまじった長いひげをたくわえていた。大きな体に長い黒衣をまとい、頭には宗教者としての独特な帽子をかぶった彼は、私にはまさしく神の言葉を伝える伝道者に見えた。話が始まると、今まで大騒ぎをしていた聴衆がピタッと私語を止め、彼の声だけが会場に響き渡った。

「イスラムの教えでは、男性と女性は一つの身体と魂から創られたものであり、双方は全く平等である」と彼は説法する。たとえば、女性は男性と同様に自分の意見を述べることができるし、望む相手と結婚する権利、教育を受ける権利、働く権利、社会の発展に参加する権利など、男性が持っているすべての権利を

写真3－1　保健省モニタリング：保健省のスーパーバイザーは、一カ月に一回のペースで南部の数カ所の村落ヘルスセンターを訪問する。この写真は、マアン県の村落ヘルスセンターにて。ヘルス・エデュケーターが訪ねてきた女性にカウンセリングをしているところを、保健省からの三人（写真の左の三人）のスーパーバイザーがモニタリングしている様子。同様に、各県のスーパーバイザーも、一カ月に一回は持ち場の村落ヘルスセンターを訪問することになっている。

同等に持っている。したがって、女性がこれらの権利を行使するために力をつけていくことは重要である。それと同時に、女性は「男性の姉妹」であるので男性は女性を大事にしなくてはならない。家族計画に関しては、「イスラムの教えでは一人の子供に十分なケアと授乳期間を与えるために、そして女性の健康を守るために、出産と出産の間に最低二年間の間隔を置くことを推奨しています」と彼は説いた。したがってその期間に、夫婦が話し合って避妊をすることは許されると結論付けた。

この会が大盛況だったことに気を良くした私は、今度は私自身が彼を、アンマンから南部地方の会場までお連れすることにした。ヨルダンでは、通常お客は車の助手席にお乗せする。私も彼を丁重に助手席にご案内し、車のドアをそっと閉め、その後大急ぎで車の後部座席に座った。車中で親しくお話しする機会を得た私は、まさに有頂天だった。彼は語気を強めたりすることなく、つねに柔らかく落ち着いてお話しされる方で、身体中からオーラが放たれていた。同時に、陽気でお話し好きでもあり、ある意味ではどこにでもいるヨルダン人であったことが新鮮な驚きだった。

彼と打ち解けはじめたころ、とつぜん「りりーん」と彼の携帯電話が鳴った。聞こえてくる話から、彼がニューヨークの誰かと話をしていることがわかった。「9・11事件が起こってから、イスラムはますます誤解されることになってしまった。宗教者としてアクションを起こす必要を感じているよ。とくに9・11事件が起こったアメリカでね。どうだね、ニューヨークタイムズか何かに投稿して、この誤解を払拭《ふっしょく》するというのは」というようなお話だったと記憶している。うーん、こんな大物の宗教者となれば、とうぜん世界とつながっているのだと認識させられ、ますます尊敬の念が増したのを覚えている。

大物の宗教者でなくても、村に入るとモスクがあるので、村の宗教者に良く出会う。村のレベルになると、申し訳ないが尊敬するのはどうも、という宗教者がいることも事実である。村の保健スタッフの助けを借りて、村民女性の健康意識について調査していたとき、こんなことがあった。

丘の上に建つ家の女性をインタビューすることになり、私はたまたま、家から五メートルほど離れた道路でインタビューが終わるのを待っていた。インタビューを終えた保健スタッフは、私に向かってまっしぐらに駆け降りて、早口で「どうしたらいいのかしら。インタビューした彼女が『私は夫から暴力を受けている』って訴えるの。あ、ほらほら、あれが夫。家に入ろうとしている男よ」

あわてて彼女の指の先を見ると、その男性は一目でイスラム宗教者とわかる装いをした人だった。「女性を大事にすることはイスラムとして大切なのに。ましてや宗教者でしょ」と私は内心いまいましく思った。イスラム宗教者といっても、イスラムの教えをきちんと守っている人物ばかりではないということであろう。

写真3-2　スーパーバイザー会議：三カ月に一回はマアン県で、保健省の本省と南部四県の保健局のスーパーバイザー全員が集まり、プロジェクトの進捗状況と課題などについて話し合う。筆者右側に座っているのはマアン県の保健局長。地元で実施される会議ということで、頼まれなくても必ず出席し、状況把握に努める。

最初は、宗教者といえば気難しくて保守的な堅物ばかりだと思い込んでいたが、じっさいに出会った彼らはどこにもいる普通のヨルダン人で、宗教者としての器量も一様ではないことがわかった。

ヨルダンに派遣されるまでイスラムを全く知らず、興味も示さなかった私が、プロジェクトを通じてとはいえ、イスラム宗教者と気軽にお付き合いできるようになった事実は、何を物語っているのだろうか。イスラムは、私たちが日本で思っているほどかたくなで敷居の高い宗教ではない、ということなのではないだろうか。

ふり返ると、プロジェクトの活動内容が家族計画と女性のエンパワメントの啓発なので、ともすれば地域住民からは西洋の価値観を押し付けるプロジェクトとも思われがちであった。対象地域が伝統的で保守的な地域ということもあり、私たちプロジェクトスタッフは、ある意味ではイスラムと対峙しなくてはならない状況にあったといえる。

しかし、結果としてプロジェクトの活動が否定されるということは、決してなかった。その一因は、私たちがイスラム教徒としての地域住民の価値観や考え方を尊重しつつ、彼らの考え方と私たちの考え方との接点を見出す努力をしたからであろう。日本人スタッフが、イスラム教徒でもないのに変にイスラム教徒のようなふりをして、彼らに迎合する姿勢を示さなかったことも良かったのかもしれない。

主張するところは主張しながらも、相手の主張との折り合い点を見つける努力をしたことが、地域住民からの信用につながったと考える。

いっぽう、地域住民と接するうちに私なりに理解したのは、**イスラム教徒の生活様式そのものが、イスラムの教えを具現するものだ**ということだった。そのため、彼らの生活習慣を十分に尊重し、彼らにいやな思いをさせないような細心の注意を払うことで、彼らとの心理的距離を狭める努力もした。

たとえば左手で握手したり物を渡さない、ノースリーブのブラウスを着たり、露骨に足を見せるような服装をしない、足の裏を相手に見せるような姿勢を取らない、家の中に入るさいは靴を脱ぐ、お年寄りを思いやる、……といった常識的なことから、知り合いの冠婚葬祭には出席する、それができない場合は電話で祝いかお悔やみを伝えるといった気配りまで、知りうる限りのことは、彼らの生活に密着した対応を取るようにした。

このような努力は、プロジェクトに思わぬ効果をもたらした。（ヨルダン人を含めた）私たちプロジェクトスタッフが、気づかずに住民に不愉快と思われることをしてしまうと、「この問題をドクターサトーに伝えてほしい」という苦情の電話が、私のアシスタントにかかるようになったのだ。すなわち私たちに対して、苦情を胸に秘めて非協力的な態度を示すのではなく、とことんお付き合いする姿勢で、改善事項を申し入れてくるようになったのである。これは対話が成り立ってきたことを意味しないだろうか。

写真3-3　第三フェーズのプロジェクトスタッフ：日本人の保健医療担当専門家の交代があったので、アンマンの拙宅で歓送迎会を催した時の記念写真。運転手を含めたプロジェクトスタッフ全員が参加した。前列左から二人目が、着任したばかりの専門家（看護師・助産師）で、三人目が離任する専門家（看護師）である。みな、苦労を共にした仲間だ。

要するに、彼らの価値観や考え方を理解する気持ちがこちらにあるとわかれば、たとえ異教徒であっても対話を求めてくるというのが、ヨルダンを離れてかつての生活を振り返っての、私の率直な感想である。そして、相手の懐深く入り込む姿勢を示せば受け入れてくれる、それがイスラム社会だとも思うのである。

4　一口では言えないアラブ世界の多様さ

中東戦争のまっただ中の一九七三年七月に、私はイスラエルの首都テルアビブの空港に降り立った。公共バスがゲリラによって爆破されたりしてずいぶん物騒な時期だったが、イスラエル滞在中に感じた中東戦争はイスラエル対全アラブ諸国の全面戦争のように見え、「アラブは一つ」という印象を強く持った。

私は、一ドルが三百六〇円の時代に日本の大学からアメリカのミネソタ州立大学に編入し、そのままその大学を卒業した。当時の国際線は羽田空港にあったので、羽田空港から太平洋を横断してカリフォルニアまで行き、飛行機を乗り換えてミネソタに到着するという長い一人旅だったが、全く不安はなかった。

この一人旅に味を占め、帰国時にはまた同じルートで帰国するのはもったいないと思い、今度は大西洋を渡ってヨーロッパ経由で日本に戻る、いわゆる世界一周に挑戦することにした。

ただの物見遊山の旅に終わらせないため、目的意識を持つことが大事と思い、「イスラエルのキブツに行く」ことを旅の目的に定めた。なぜイスラエルかといえば、留学中にユダヤ系アメリカ人数名と仲良しになったので、遠い国と思っていたイスラエルにおのずと興味を持ったという単純な理由だった。キブツを選んだのも同様で、そこに行けば働く機会が与えられ、報酬を得る代わりに無料で寝泊まりできることが大きな魅力の一つだったからである。もう一つ、中・高校をミッションスクールで過ごした私としては、聖書に描かれるエルサレムやベツレヘム、ガリラヤなどを訪ねてみたいとも思った。

そして何十年も経て、仕事で中東を再訪することになった。今度はそこに長く住むことにより、若いころイメージした「アラブは一つ」という見方が単なる「思い込み」であったのを、いやがうえにも知ることとなった。

そもそもアラブ民族とは、どのような人たちを指すのだろうか。イスラムを信仰する人だろうか。そうだとしたら、インドネシア人もマレーシア人もアラブ民族となってしまう。

アラブ民族とは、簡単に言えば、アラビア語を母語とする人たちであると考えられている。しかし同じアラブ民族といっても、定住民と遊牧民では、国家に帰属する考え方や価値観が違う。また、同じイスラム教徒でもスンニ派とシーア派の間では考え方の相違が見られる。さらに国家そのものも、王政を敷くヨルダンのような国もあれば、隣国シリアのような共和制かつ社会主義を標榜する国もある。

いっぽうチュニジアのように、イスラムでは通常容認しない「中絶」を容認している国もあったり、一部の湾岸諸国のように、「ここはアラブか」と疑うほどの他国籍国家となっている国々もある。そこには、アラブのオイルマネーを求めて、さまざまな国から人々が集まってきているのである。観光客としてドバイを訪ねたことがあったが、ホテルではフィリピン人、タクシーではインド人やパキスタン人などの南アジア系の人たちが働いていた。どこにも「オリジナル」なドバイ人は見当たらない。空港でセキュリティ・チェックやパスポートコントロールに携わる人たちが、唯一オリジナル・ドバイ人のようだった。

要するに「アラブ人」を細分化してみると、お互い同士が連携するには、価値観や考え方は云うに及ばず、生活様式までも、集団ごとにかなりの隔たりがあることがわかる。したがって「アラブは一つ」というスローガンでまとまろうとするにはかなりの無理があるように思える。ヨルダンに住んでいても一国のなかで文化が違う人々が共存していることがわかる。例を挙げてみよう。

南部の村落にはベドウィン（アラブ系遊牧民）と呼ばれる人たちが暮らし、いまだに半遊牧の生活を営んでいる人もいる。*4 このような集団に属する人々とお付き合いするようになり、彼らとそうでない人々の違いについて気付いたことがあった。まず半遊牧民の方々は、自身の思うことを率直に述べる傾向がある

写真４－１　シリア訪問：ヨルダン保健省の医療従事者がシリアで実施中のJICAの医療プロジェクトを視察。内戦で今や跡形もなくなってしまったであろう、ハマーの巨大水車の前での記念撮影。（井本敦子氏提供）

＊4　ベドウィン　一九二〇年代のヨルダンについて記述したアブー・ヌワールによると、当時すでにベドウィンは遊牧だけではなく、土地を耕作することで土地に縛られる者もいたとのことである。出典：北澤義之『第三章　ヨルダンの「国民」形成―トランスヨルダン成立期を中心にして―』ジェトロ、研究双書（一九九三）、p.180. http://hdl.handle.net/2344/00013312（二〇二一年年四月三〇日閲覧）

ように思う。それに比べ、そうでない人々は婉曲的な物言いをする。

たとえば首都アンマンに住んでいると、友だちからよく「家に寄ってお茶を飲んでいかないか」との誘いがかかったりする。誘いにのってお宅でお茶をごちそうになっていると、次に「ご飯を食べて行かないか」と誘いがかかったりする。「それでは」と言って誘われるままにしていると、京のぶぶ漬けに例えられるように、それはそれで不作法であることがわかってくるのである。

いっぽう、半遊牧の生活をしている方々からの誘いは、素直に受けることにしている。遊牧民には、砂漠の長旅で疲れはてた旅人をねぎらう伝統があり、客人への手厚いおもてなしはよく知られているからである。このようにたとえ同じ「アラブの民」であっても、一様に同じ文化を共有する人たちではない。

じっさいのところ、アラブ地域が「アラブは一つ」というスローガンで一致団結するのは容易なことではないと思われる。先に挙げたように国同士の違いや定住民とベドウィンの違いがあるうえに、同じ言語を使い同じ宗教を信じるということで似たような価値観や考え方もあることから、かえって各々の集団がそれぞれのアイデンティティに固執し、歩み寄りをよしとしないように見受けられるのだ。広大な面積と多くの人口、豊かな資源を持つアラブ民族が、お互いの気持ちを一つにしようと歩み寄ったとき、初めて彼らは持っている力を花開かせ、世界のリーダーの一員としての存在感を示すことができるであろう。

５　バスマ王女との思い出

私がヨルダンで携わったプロジェクトは、実施機関の一つとして、「ヨルダン・ハシェミット人間開発基金」（通称ＪＯＨＵＤ）と銘打ったＮＧＯとともに活動を推進してきた。期間は、一九九七年から二〇〇三年の六年間にわたった。

ＪＯＨＵＤのトップは、当時の国王の妹であるバスマ・ビン・タラル王女だった。日本では王室の方と直接お話する機会など考えられないが、職場がバスマ王女をトップとするＮＧＯだったので、バスマ王女ともお話しできる栄誉を持つことができた。

ヨルダン王室のメンバーは、王妃をはじめとして自身のＮＧＯを持ち、慈善活動や社会活動に熱心である。バスマ王女もＪＯＨＵＤのスタッフとともに、貧困問題や女性の地位向上に熱心に取り組んでいた。幸いにも、私はプロジェクトの活動を通してバスマ王女の人となりを知ることができたので、ヨルダンがなぜ、安定した立憲君主国家であり続けることができているのかについて、バスマ王女とのお付き合いを通して私なりに感じたことをお話したい。

プロジェクトが開始されてから数カ月後、ヨルダン側リーダーから、バスマ王女がプロジェクトに対して大変ご不満であることを聞かされた。一生懸命仕事をし、住民とも親しくなりつつある状況なのに、どんなことが考えられるのだろうか。不思議に思い、ヨルダン側リーダーに問いただすと、「王女は日本人がＪＯＨＵＤのオフィスを使っていることがお気に召さない」とのことであった。

しかし私たちが、ヨルダン人カウンターパートと仕事をするのに、ＪＯＨＵＤのオフィスはぜひとも必要なスペースである。このことはすでに、プロジェクトを開始する前にＪＯＨＵＤ側が同意していた。そこで「だったらなぜわれわれとプロジェクトを始めたの」と、つい怒る調子でヨルダン側リーダーに尋ねた。「だから王女に言っているんだけどね。日本人とイギリス人は違う。ＪＯＨＵＤを占拠するようなことはしない、とね」との返事が戻ってきたのだ。

なるほど。かつてイギリスがいわゆる三枚舌を使って、中東の統治をしようとした歴史の認識がいまだに息づいていることがわかった。イギリスの三枚舌とは、第一次世界大戦時に、イギリスが相互に矛盾のある三つの約束を、それぞれ別々の相手と交わした外交政策である。その相手の一人が、メッカの太守でありバスマ王女の曾祖父である、フセイン・イブン・アリーであった。

このような約束を、一方は過去に起こった不幸な出来事として処理しているのに対し、被害を受けた側は決してそれを忘れることが出来ない。それはこの地に限ったことではない。しかし、いわゆる「歴史認識の違い」という重いテーマが、まさか自分の身にふりかかって来るとは夢にも思っていなかった。

しばらくして、バスマ王女にお会いする機会があった。バスマ王女は、一見するとヨーロッパ人のようである。身長は百六〇センチくらい、ヨルダン人女性並みの背の高さであるが、ヨルダン人には珍しく華奢な体つきをしている。またイスラム教徒なのだがスカーフなど頭に着けていないうえに、足を人目にさらすことを嫌うイスラム教徒には珍しく、下肢を出してしまうくらいの丈のスカートをはいている。非イスラム圏から来た者には親しみやすい感じの王女である。

しかし私に会うや否や、王室の一員としての威厳を保ちながら、アクセントのないきれいな英語で、ゆっくりとしかし強い口調で、「あなた方のプロジェクトは私たちに何をもたらしてくれるのでしょうか」と私を直視して質問されたのには、正直困惑した。

インフラ整備と違って、人々の行動変容を促すことをめざす私たちのプロジェクトは、すぐに目に見える成果が出るわけではない。私たちへの不信感をどう払拭したらよいのか、自問自答の日々が始まった。その結果、とにもかくにも一生懸命業務に邁進し、目に見える成果を出すことが王女からの信頼を得る近道であるという結論に至った。そう腹をくくると、くよくよしなくなった。

一年も経ったころ、ＪＯＨＵＤのトップのポジションにいる局長（女性）から「明日の朝九時に局長室に来るように」との呼び出しを受けた。私のカウンターパートに当たるヨルダン側リーダーも呼び出された。私は、指示された九時ピッタリに局長室のドアの前に到着した。開いていたドアから中をのぞくと、

写真５－１　バスマ王女：バスマ・ビン・タラル王女が理事長を務めるJordan Hashemite Fund for Human Developmentのホームページに載っていた写真（http://www.johud.org.jo/OurTeam）（二〇二一年二月一四日閲覧）

局長室は広い部屋にあか抜けたインテリアが整然と置かれ、王室系のＮＧＯにふさわしい、洗練された雰囲気である。局長は王女に仕える人らしく、「よくいらっしゃいました」と、きれいな英語ながらも威厳のある口調で私を招き入れてくれた。

部屋に入って見回すと、ヨルダン側リーダーがいない。それから待つこと三〇分。しびれを切らしたころに彼はやっと現れた。局長は呆れた顔をしながらも、用意していた質問を私たちに矢継ぎ早にあびせた。明らかに、バスマ王女の意を受けての質問である。ところが、質問にていねいに回答すべき私の相棒は、のらりくらりと的を射ない回答をするばかりで、局長に対して明らかに反抗的な態度を示している。

これを見て、正直「困った」と思った。彼の反抗的態度が何であれ、彼と私が同一視されるのを恐れた。そこでここは日本側リーダーとして日本側の誠意を見せる時だと直感し、彼を制して質問の回答を始めた。すると最初はにこりともせず質問していた局長の、私を見る目が柔らかくなっていくのを感じた。私たちが局長室を辞するさいには、私の顔をじっと見て「プロジェクトのためにがんばってくれてありがとう」と言ってくれた。そのとき日ごろの努力が報われたという思いが湧き、素直な嬉しさを禁じえなかった。

以降は、バスマ王女に報告するためにということで、定期的に私が局長室に呼ばれ、局長にプロジェクトの進捗状況を説明するようになった。ある日、私は、王女から全面的な信頼を得ていると確信する出来事が起こった。

ＪＯＨＵＤは、バスマ王女の誕生日に王女のお誕生を祝う大きな行事を催す。外国人である私たちも含め、何千人というＪＯＨＵＤ関係者が、広い会場に一堂に集まる。そこで、王女は関係者の皆に日頃の協力に感謝するお言葉を述べられるというわけである。ＪＯＨＵＤにとっては、チーム・ビルディングの絶好の機会でもある。

私は、ヨルダン人同僚と初めてこのような誕生日会に参加した。誕生日会が終わり、群集の流れに乗るままに出口で王女を待っていた。王女をお見送りするためである。王女が出口まで来られたことがわかると、いきなり群衆が王女に殺到した。倒れないよう私も群集の動きに合わせて身体を動かすと、王女が人々と握手をしている光景が目に映った。見ると、だれもかれもが握手を求めて王女に向かって一生懸命に手を差し出している。しかし王女と一緒に行動しているボディガードたちが人々を押し戻すので、握手できる人はほんの一握りだ。これを見た私は、王女との握手をあきらめてその環から離れようと思った瞬間、今まで私の側に背中を向けていた王女が、なぜか身体をくるっと私のほうに百八〇度回転させた。そして群衆の中に私を見つけるや、「ドクターサトー」と言って何か話されようとするのがわかった。

私も急いで王女のそばに近寄ろうとしたところ、とたんに頑強なボディガードに強い力でぐいっと押し戻されてしまった。すると驚いたことに、王女はそのボディガードに肘鉄をくらわせたのだ。そして私を抱きしめて、「会えてうれしいわ」と言ってくださった。

バスマ王女からのこんな愛情表現をいただくことを考えたこともなかった私は、ただ驚くばかりだった。「では、またオフィスで」と言って王女がその場を去ると、そばにいたヨルダン人同僚が「この人ごみの中でよくドクターサトーを見つけたもんだ。よかったね」と自分のことのように喜んでくれた。そういえば、バスマ王女の兄である故フセイン元国王がご健在だったころは、やはり群衆に分け入り、人々を抱きしめたり握手したりしていた。ヨルダン王室メンバーの国民への愛情表現はこんな形をとるのだと、身をもって学んだ出来事であった。

以上の体験を通して感じたのは、王室安泰のために、ひいては国家安定のために、王女自身が自分の役割を一生懸命に果たそうと努力していることだった。そして、人々に握手し、抱きしめたりする愛情表現を示すことで、「国民を家族の一員として大事にしています」というメッセージを発しているような気がする。

ヨルダンは、紛争に明け暮れる国々に取り囲まれ、地政的に難しいロケーションにある。しかし、バスマ王女をはじめとする王室メンバーのこのような姿勢が、ヨルダンの安定した立憲君主制の維持に、大きく貢献していると感じた。

6　アラブ世界の若者たち

私がＪＩＣＡの専門家として関わっていたヨルダン南部の、女性の健康とエンパワメントプロジェクトの企画で、ヨルダンの大手新聞社五社の記者、総勢九名を連れて、南部の村々を案内したことがある。ある村で、そこの若者たち一〇人ほどがとつぜんこれらの記者を取り巻いて、口々に自分たちの現状を訴え始めた。

「職がない」「町に行くバスがない」「医者がいない」「高校がない」「小中学校の施設が古い。おまけに機材が何もない」と、ないないづくしの不満をぶちまけたのである。極め付きの言葉は、「われわれに希望はない。こんな村に生まれた僕らは不幸だ」であった。

新聞にこの訴えが載るや、国王からの指示を受けた、彼の直近のアドバイザーがすっ飛んできたとのことである。その後の顛末は村を訪問したさい、村の世話役の方から事細かに聞くことができた。まず村にバスが通るようになり、次にはモスクが拡充された。次には他県からりっぱな指導者が何回も訪問し、裁縫と陶器作りのプロジェクトの準備が進んでいるとのこと。

おまけに小・中・高一貫の大きな男子校の建物も建設中だと聞いたので、さっそく現場を見に行った。確かにりっぱな建物ががらんとした大地ににょきっと

写真6-1　若者（男）への啓発：村の一三歳から一八歳までの男子を招いて、「若者であることと大人になること」というテーマで、ヨルダンの青年省の役人が、若者の責任や大人になった時の責任について話をしている。写真の場所はマアン県。（アブドゥルモネム・マルカウィ氏提供）

建設されつつあり、建物の前には建設費四三万八千JD（当時の換算レートで約五千万円）と書かれた立て看板があった。

「何もかも望み通りになって非常に満足だ。それでも一つだけ要求が通っていないことがある。ヘルスセンターに医者が常駐しないことさ」と村の世話役は私になにげなく言った。村の保健サービスの改善をめざしている私たちプロジェクトへの皮肉ではなかったとは思っているが、医者不足の現状を知っているだけに、王様でさえ人口五〇〇ほどの村に医者を連れてくるようなはなれ技はできなかったのだと、何か身につまされる思いがした。

この村はラッキーだった。しかし、このような国の対応は結果的に隣接の村落との格差を生み、近隣の村の人々が怒りと焦りをあらわにするようになった。周囲の村々の不満と不平等の思いは嵐となって吹き荒れた。この嵐は、われわれのプロジェクトをも吹き飛ばす勢いだった。報道関係者の案内役を果たした広報担当のヨルダン人カウンターパートは、「どうして新聞記者を連れてくるのにあの村を選んだのかい」と思いっきりなじられた。「新聞記者など、連れてくるなと言ったのはあなた方じゃなかったですか」と彼も負けずに言い返したかったが、プロジェクトを思ってこらえたということであった。

チュニジアで始まった若者を中心とする「アラブの春」は、エジプトやシリアなどヨルダン周辺のアラブ諸国にまで押し寄せた。その様子を見ていたヨルダンは、不満が少しでも表面化すると素早くその芽を摘む〝対症療法〟に打っ

写真6－2　学校の建設：マアン県に位置する、人口五〇〇ほどの村に住む若者の訴えが功を奏して、村に建設されることになった小・中・高一貫の男子校。

て出た。権力や暴力を使って口封じするのではなく、不満の相手を懐柔させるやり方である。

右に挙げたのはその一例だが、それでも周囲の村落との格差を生んだこの対応に首をかしげるのは私一人ではないと思う。若者人口が膨れ上がっている現在のヨルダンにおいて、今や若者の不満は、そのときどきの対症療法では解消できない時代に突入したことは、誰の目にも明らかである。

ヨルダンの人口は増加している。シリア難民の流入は、この人口増加に拍車をかけた。それと同時に、〇歳から二四歳までのヨルダン人の若年層の割合は、全人口の五五％を占めている。*5 これは、いわゆる先進諸国では考えられない数値である。乳幼児死亡率が高い時代は、たくさんの子どもが生まれても死んでしまう子どもの数も多かったので、人口は急激には増えなかったが、医療技術の進歩のみならず医療環境の改善や生活向上のおかげで、現在のヨルダンの乳幼児死亡率は以前よりだいぶ下がった。

たとえば、二〇一七〜二〇一八年現在で、乳児死亡率は一七（出生一〇〇〇対）で、五歳未満児死亡率は一九（五歳未満人口一〇〇〇対）であり、三〇年前と比べて約半分の数値を示す。*6 シリア難民の流入後、ヨルダン人の出生率は下がりつつあるが、それ以上に乳幼児死亡率が減少しているため、現時点では若年層の人口が老年層に比べて巨大に膨らんでいる。

年少・老年人口に比べ、労働人口である若者が増えている現状を「人口ボーナス」と言って、国家発展促進のための「ボーナス（特別手当）」すなわち特別

＊5　Jordan Department of Statistics (2016) *Population Projections for the Kingdom's Residents during the Period 2015–2050*, Amman, Jordan: DOS: p.16.

＊6　Jordan Department of Statistics and ICF (2019) *Jordan Population and Family Health Survey 2017-18: Key Findings*. Amman, Jordan, and Rockville, Maryland, USA: DOS and ICF.: p.7.

の好機ととらえる考え方がある。「ヨルダンは今や人口ボーナスの時期を迎えた。この機会を逃さず、ヨルダンの産業活性につなげよう」と、ヨルダンの人口問題を管轄する高等人口審議会の局長は訴えている。だがこの局長の訴えに応じて、ヨルダン政府は若者を社会のボーナスとして活用し、急増する若者に満足をもたらすような社会を形成する努力を十分行っているのか。私はこれを疑問視している。

ヨルダンには「恥の文化」というのがあり、それは職業に浸透している。たとえば、庭造り、ごみ収集、道路清掃、土木工事、メイドやウエイトレス・ウエイター業、プランテーションでの野良仕事などに、ヨルダン人は従事したがらない。彼らから見て卑しいと思われるそんな職業に就くことは、「恥」だからである。

しかし社会が動くためには、これらの仕事に従事する人が必要なことは明白である。では、誰が担っているのだろうか。

それは外国からの出稼ぎ労働者であり、近年はシリア難民が加わった。以前は、メイドやウエイトレス業を除いてほとんどがエジプト人であったが、現在はシリア難民がエジプト人の業種に食い込んでいる。メイドの職に就くのはフィリピン人かスリランカ人の女性が多いが、イスラム圏であるインドネシアやマレーシアからの女性を積極的に受け入れるようにもなってきている。ウエイトレスの職は、社交的でかつサービス業に就くことをいとわないフィリピン人が

写真6−3　コンピューター学習：村の若者が一番望んだことはコンピューターが使えるようになること。そこでプロジェクトは、村の若者（男女）を県庁所在地にあるコンピュータートレーニングセンターに招き、五日間の講習会を開いた。写真は、アカバ県アカバ市のセンターで若者が講習を受けているところ。

多いが、現在はシリアの難民男性がこの職種に参入している。

ヨルダン人女性が好む仕事に銀行の窓口業務があるが、給料はメイドとして働いて得た収入より低い、とのことである。このあたりのことを身近なヨルダン人の若い女性に聞くと、「メイドなんかしたら親が家に入れてくれない」と言う。ヨルダン政府は「恥の文化」を問題視しているが、これを変えようという大きな努力をしていないのも現状なのだ。

また、ヨルダンは小国なので職業の選択の幅が狭く、そのうえ給与の高い職業を得るチャンスも非常に少ない。その少ないチャンスを有利につかんでいるのは、裕福な層の子女である。裕福な両親を持つ子どもは、幼稚園のときから英語で教育を受ける私立学校に通う。男の子の場合は、アメリカかイギリスの大学に行って、そのままそこで職を得るというのが理想的な生き方のようである。たとえ海外で仕事を得られなくても、ヨルダンに戻ってくれば得意な英語を活かし、国連機関か国際ＮＧＯに就職するチャンスは高いと言える。裕福層はワスタも多いので、このワスタを使えば、良い就職先を見つけるのにはさらに有利である。

問題は、施設も劣り教員の質も悪い公立学校に行ったばかりに、大した教育も受けられなかったうえ、ワスタもない多くの若者である。たとえ仕事を得たとしても、安給料に甘んじなくてはならないことは目に見えている。

地方の若者は、市役所とか町村役場に務めることができれば大出世であるし、軍隊に入隊できれば文句なしということになる。問題は、それでも多くの若者が仕事にあぶれている現状である。短大以上の高等教育を受けたところで、それに見合う仕事がなかなか見つからないのが実情だ。このような状況は、若者に大きな閉塞感や不平等感を募らせ、彼らをいらつかせる。

若者の不満に拍車をかけているのが、衛星テレビやインターネットの普及である。どんな田舎に行っても、屋根を見ればほとんどの家に衛星テレビをキャッチする「円盤」が立っているのには驚かされる。またインターネットが急速に普及し、今やアンマンの若者でそれを使っていない者はいないだろうし、小中都市に行けばかならずインターネットカフェがあって若者がたむろしている。

衛星テレビやインターネットの普及は、ヨルダンと世界をつなげた。それは同時に、西欧の映画やドキュメンタリーで垣間見る先進国の生活や、インターネットを通じて瞬時に知る世界と、若者が現実に住む世界とが大きく乖離している事実を知ってしまうことにもなる。

ヨルダンの近年の経済成長は著しく、アンマンにいると豊かさを肌で感じ取るが、豊かさは一部の社会層でのみ享受され、多くの若者はいまだ取り残されている。多くの若者たちが豊かさから排除されるような社会ではなく、彼らも包摂されていると感じられるような経済政策を実行する必要がある。

同時に、社会に根強い「恥の文化」を、学校教育などを通して、若者たち自身が変えていくような流れを生み出していく努力も必要である。そうすることで、エネルギーにあふれた若者たちの力を、「人口ボーナス」として活かすこ

写真6－4　女学生への啓発：女子高校に行って、一五、一六歳の生徒を対象に、ゲームなどを織り交ぜて楽しみながら学んでもらっている光景。写真の場所はマアン県。このときのテーマは「健康的なライフスタイル」で、女子生徒が一生を通じて健康的に過ごすための知識を得ることをめざす。別途、男子高校にも行って同様の話をする。男子校ではタバコ、ドラッグや飲酒の問題についても触れる。（アブドゥルモネム・マルカウィ氏提供）

とができるのだ。

「アラブの春」がエジプトやチュニジア、リビアなどで起きたように、国の富が一部の支配層に独占され、さらに腐敗や縁故主義が蔓延していたら、排除された若者たちが国の指導者に「ノー」を突きつけるのも、自然な成り行きではないのか。

またアラブ諸国の伝統社会の問題として、年長者が絶対的な権限や発言力を持ち、若者たちが半人前扱いをされ、沈黙を余儀なくされるような文化がある。若者たちは、しかし教育やインターネットなどを通して、世界とつながる形で広い視野を養いつつ、そのうえで自身の意見を形成するという新しい世代である。アラブ世界の国の指導者や政府は、若い世代からの意見や主張、さらには伝統への異議申し立てを抑え込むのではなく、未来を拓《ひら》く力として、これからの国造りに反映していくことが求められている。

第4話

シリア難民とヨルダン

１　村民に鬱積する難民への不満

私は二〇一四年の二月から三月にかけて、ヨルダンで農村女性の健康調査を実施した。対象地域はシリアと国境を接するマフラック県である。あるとき予備調査の一環として、マフラック県の村で住宅地図を作成していた。かつて遊牧生活をしていたベドウィンが定住した村である。

仲間が住宅地図や世帯分布図の作成に精を出しているあいだに、私は村の全体像をつかもうと、助手とともに村の散策を始めた。すると、私の目にＵＮＨＣＲ（国連難民高等弁務官事務所）のテントが目に入ってきた。ＵＮＨＣＲからシリア難民に対して配られるテントだが、ヨルダン人が住む村になぜあるのだろうか。テントには、ちょうど女性三人がすわってお茶を飲んでいて、飲みながら興味深げにわれわれを眺めている。そこで挨拶をしがてら、どのようにこのテントが彼女たちの手に渡ったのかを聞いてみることにした。

「こんにちは」と言うと、「どうぞどうぞ、お入り」と親切に招待してくれた。遠慮なくテントの中に入りこみ、床にしいてある敷布団のように長い座布団の上にどかんと座りこんだ。まずは勧められたお茶を飲みながら、われわれが村に来た理由を説明し、「この村はながめが良くていいですね」といったよもやま話をしたあとで、やっとこさ抑えに抑えていた質問、すなわちどのようにこ

写真１－１　ヨルダン北部農村の風景：村からの眺望。遠方にオリーブの木が見える。

のテントを入手したかについて聞いてみた。すると、女性のなかでは一番年長で七〇代に見える女性が、みなを代表して答えてくれた。

「市場に行ったら、昔懐かしいテントを見つけたんだよ。われわれが使うテントは黒っぽいのに、これは白くて珍しいし、最近は伝統的な黒いテントを見つけるのも難しいから買うことに決めた。昔そうだったように、テントの中でお茶を飲みたいと思ってね」そこで「いったいいくらで買ったんですか」と聞くと「一〇〇ＪＤ（当時で約一万四五〇〇円）」さらに「これはシリア難民に配られたもので、法律違反だがね」とも言う。ＵＮＨＣＲは三五〇ＪＤ（約五万円）くらいで購入するらしいので、お得感のある値段ではある。仲買人がいてシリア人からテントを安く買い取り、それをヨルダン人に売りつけているのだろうか。

シリア難民の話が出たので、「この村にシリア難民が住んでいますか」と尋ねると、「いるよ。大勢」との答え。「金を持っていてね。ある家では別棟に息子が住んでいたけど、息子を追い出してシリア人を住まわせたよ。シリア人が示すのと同額の家賃を払ったら居させてやると言ったそうだ」「シリア人が大量に流れ込んできたおかげで、物価が高くなって困ってるよ。シリア人は無料で食べ物を入手できるので物価など関係ないけど、われわれはそうではない。それでシリア人が食用油などを安く売ったりするとき、村の人は買ったりもする。うちらはしないけどね」さらに「われわれが難民でシリア人が住民さ」と付け加えた。

写真1－2　ＵＮＨＣＲテント：村に張られている。テントの女性たちは写真を撮られるのをいやがるので、前方からではなく後方から撮影。

　このことを、調査のために村の世帯分布図を作っている仲間に話したところ、「難民キャンプ近くの路上で、モノを売っているヨルダン人がいるだろう。彼らがシリア人から物資を買い付けているんじゃないかな」と言う。シリア難民が収容されている「ザアタリ難民キャンプ」の前を通ったりすると、確かにその近くの路上で物が売られている。はたしてヨルダン人がシリア人にモノを売りながら、シリア人からも物資を買っているのだろうか。確かめてみたくなった。その難民キャンプの近くの路上マーケットの前で車を止めた。

　道端では、気づいただけでも、毛布、米、乾燥豆、乾燥ナツメヤシ、ツナやマッシュルームの缶詰、歯磨き粉、石鹸、ブーツ、ガス・ヒーターなどが売られていた。私が訪れたのは朝の一〇時ころ。そのときは男性だけではなく、女性と子どもも座り込んでいた。車から降りると子どもたちが走りより、米や豆を買わないかとうるさくまとわりついてくる。国籍を聞くと「シリア人」とのこと。路上で売られているものは、市場価格よりはるかに安い。たとえば、毛布は二ＪＤ（約二九〇円）と五ＪＤ（約七二五円）、ツナ缶は三つで一ＪＤ（約一四五円）、それにガス・ヒーターは二五ＪＤ（約三六〇〇円）とのことだ。

　予想通り、どうやら受け取った配給物をシリア人が売っているようだ。同僚がすわっている女性の写真を撮ろうとすると、まとわりついている子どもの一人が「母さん、写真を撮られるよ」と警告したことから、座っている女性は子どもたちの母親らしい（イスラムの女性は写真を撮られるのをいやがる）。

写真１－３　伝統的なテント：北部マフラック県で見た黒いテント。雨漏りを防ぐビニールがかぶせてある。

写真１－４　ザアタリ難民キャンプ近く１：道端で物を売っている人たち。女性や子どもも物売りに参加している様子がよくわかる。

しかし、気になるテントはどこにも売られていない。同僚に聞きまわってもらうと、今度はヨルダン人の男性が近づいてきた。「家に置いてあるけど、買いたかったらもってくるよ」「いくら？」と聞いたら、最初は三五ＪＤ（約五〇〇〇円）と答えたが、すぐに四〇ＪＤ（約五八〇〇円）と言い直した。村で出会った先の老女は、一〇〇ＪＤで買ったと言ったことを思い出した。それでは彼女は誇張した値段を話したのか、それともふっかけられたのだろうか。ある種のモノを安く手に入れたかったらキャンプ近くの路上に来るに限る。しかし、日なたでほこりっぽい場所に長く置かれているので、質は保証しかねる感じではある。

あとでいろいろ調べていくうちに、老女から聞いた話を必ずしも鵜呑《うの》みにすることはできないことがわかった。アパートや借家の家賃がかなり上がっていることは事実だ。しかし物価そのものは徐々に上昇してはいても、急激にというわけではない。また、シリア人がすべての必需品を無料で入手できるわけでもない。むしろ必要な物が入手できないので、無料で入手した物を格安で売って必需品を買っている。老女は本当は、テントを一〇〇ＪＤよりもっと安く入手したのではないだろうか。自分たちも他の村民同様に、シリア人から物を格安で買っているのではなかろうか。

できあがった世帯分布図から、この村に住む一二四の全世帯のうちの一八世

写真１－５　ザアタリ難民キャンプ近く２：売られている缶詰や敷物。

写真１－６　シリア人の子ども：物を売りつけに来た子どもと記念撮影。女性の左側が筆者。右側は健康調査にともに携わるヨルダン保健省助産師。

帯、すなわち約一五%までもがシリア人家族であることがわかった。そうなると、シリア人が村に数多く住むようになり、彼らに対する救援措置を目の当たりに見る機会が増えてきて、何の支援も受けない村民のあいだに不満が募っている状況がわかってきた。それで「われわれが難民でシリア人が住民さ」の言葉となって出てきたのではないだろうか。

ＵＮＨＣＲの公式発表（二〇二一）によると、現在ＵＮＨＣＲに登録しているヨルダン在住のシリア難民は、六六万五千人強。そのうちマフラック県には約一六万五千人が居住し、アンマン県に次いで多い（アンマン県：約一九万五千人）[*1]。正式には「ザアタリ難民キャンプ」と呼ばれるシリア難民のキャンプは、マフラック県にあり、大勢のシリア人が中で生活しているが、じつはヨルダンの普通の村落にもシリア人が住み着いている。

かつて、シリアとヨルダンの間には国境がなく、そのため現在の国境近辺に住むシリア人とヨルダン人は同じ部族に属する者が多い。アラビア語のアクセントも同じようだ。親戚がヨルダン側に住んでいるシリア人もいる。そうであるならば、難民といっても難民キャンプではなく、国境近辺の村に住み着く人がいるのも合点がいく。

大量に流れ込むシリア難民。いずれにしても、この難民の存在が地域コミュニティーに暗い影を落としていることは確かである。

＊1　UNHCR (2021) *About Us: Facts and Figures* http://data2.unhcr.org/en/situations/syria/location/36#_ga=2.191866530.968604259.1613350445-1655448528.1599277558（二〇二一年五月五日閲覧）

2　難民キャンプにはもう住めない

ヨルダン北部のマフラック県は、内戦が続くシリアと国境を接する。ＪＩＣＡの支援事業として農村女性の健康調査を実施していた私は、前項でのべたように二〇一四年の二月から三月にかけて、予備調査の一環で、同県の四つの村落の世帯分布図を作成した。まずは、マフラック県の西側に位置する村で地図作りに取り組み、それを終えたので東北部に移動し、別の対象村落での地図作りに着手した。

すると仲間の一人が、「村の端にある空き地にかなりの数の白いテントが立っているんだけど。ＵＮＨＣＲのテントに似ているから、もしかしたらシリア難民が住んでいるのかもしれない」と報告してきた。

本当にシリア難民なのか。彼らはわれわれの調査対象者となりうるのだろうか。ほこりっぽい悪路を走り、テントに近づけるだけ近づいてみた。

ほこりにまみれたテントのすぐ近くまで、やっとこさで到着した。しかし、テントの敷地内にいる住民はみな忙しそうに何かしている。こちらのほうは見向きもしない。どう話しかけたものか思案していると、ハンマーを片手に持ち、ほこ

写真２－２　林立するテント：村の端にある空き地に立っている。

写真２－３　テント敷地内：かなりほこりっぽい光景。

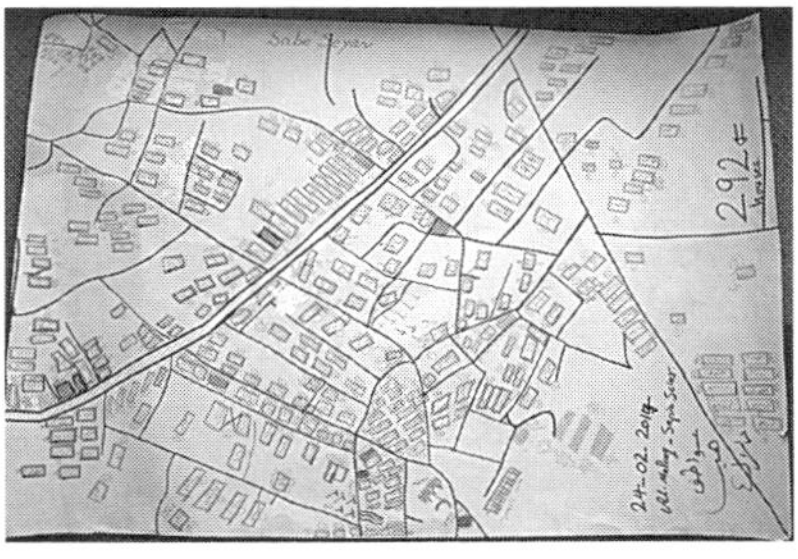

写真２－１　村の世帯分布図：ヨルダンの国勢調査の手法に沿って地図を作成。

りを吸わないよう口をスカーフで覆った女性が近づいてきた。

一瞬ひるんだが、同行していたヨルダン人同僚の「ヤラ（「さあ」というような意味）」という言葉に勇気づけられ、緊張しながら「こんにちは。シリア人ですか」と何ともおおざっぱな聞き方をしてみた。すると女性は口を覆っていたスカーフをはずして「そうだ」と答え、ニコッと微笑んでくれた。

彼女はまだ二〇代初めではないだろうか。「話を聞いてもいいですか」と聞くと、「どうぞどうぞ」とのことだったので、車から降りてあとをついていく。するとそこにリーダー格風の男性が現れた。挨拶したあとに「いろいろお話を伺いたい」と言うと、また「どうぞどうぞ」と答えてすたすたと歩きだしたので、あわてて彼を追いかけた。そこに後ろから声がかけられた。先ほどの若い女性を含めた数名の同じ年ごろの女性が、私を呼んでいる。「あとで行くから」とジェスチャーし、彼女たちも納得したようであった。


リーダー格の男性は、テントの中に招き入れたあと「お茶を用意するので待ってくれ」と言う。同行していた同僚が「あなた方の持っている少ない食べ物をもらうのは気がひける……」と答えたが、「大丈夫、大丈夫。お茶も砂糖もタダ。UNHCRからもらったものだから」と返答したので、みんなで大笑いとなった。急に座がなごみ、その場が柔らかい雰囲気に包まれていくのがわかった。

お茶を飲んでいるとテントに続々と男性が集まりはじめ、一〇名を超えるほどになった。私は話を切り出した。「あなた方はどういう人たちで、なぜここにテントを張っているのですか」リーダー格の男性は次のように語りはじめた。

「わたしはシリアで農民でした。このテントはシリアの各地から集まってきた同系列の部族集団で、今は総勢一〇〇名くらいが住んでいます。一年以上前に戦禍をのがれ、ザアタリ難民キャンプに入っていた者も、また一カ月ほど前にキャンプにたどりついた者もいます。しかしキャンプの治安があまりに悪くなり、われわれはそこを出て、当地にテントを張って生活することにしました」

ザアタリ難民キャンプの治安については、一年以上そこに暮らし、このテントに移った若者からもあとで話を聞くことができた。

「キャンプで生活していたとき、姉さんや妹たちは危なくて一人でトイレに行けないので、僕や他の男兄弟が同行してトイレの前で見張っていた。暗くなるともう誰も外に出ない。危ないから。夜、テントを切り裂いて盗みに入ったり、レイプする人までいるらしいと聞いた」

リーダー格の男性が話し終えたので、こちらが矢継ぎ早に質問した。

「土地は誰のものですか」「水や電気はどうしているのですか」

「水や電気は、すぐそばに農場を持っている人から許可を得て使わせてもらっています。今のところは無料です。土地はどうやら、アンマンに住んでいる人が所有しているようです。水や電気を使わせてくれる人が話をしてくれて、土地使用料が必要なら彼が出すと言ったら、いや無料でいいよと言ってくれたというので、ここに住んでいます」

難民生活についても質問した。すると、次のような答えが返ってきた。

ＵＮＨＣＲから月に一人二四ＪＤ（約三五〇〇円）の食料クーポンが支給されるので、食べ物を購入している（特定の店で食料クーポンを使える）。かつてはクーポンで石鹸など生活必需品も買えたそうだが、今は食べ物にしか使えないので困っていること、買い物に行くとヨルダン人より高い値段を要求されるなど、キャンプの外で暮らすことから生じる日常生活の悩みも話してくれた。

ヨルダンでは総じて、外国人に対して現地の人より高い値段で物を売ろうとする。値札がないと、私も法外な値をふっかけられる。しかしシリア人は普通の外国人ではない。難民である。それなのに高い値段で売ろうとは。「難民は支援を受けているんだから少しくらい高くてもかまわないだろう。自分の腹が痛むわけじゃないんだから」という売り手側の心理が働いているに違いない。

リーダー格の男性は続ける。「とにもかくにも、生活必需品を買うにはお金がいります。仕方なくヨルダン人からお金を借りました」ヨルダン人の友人からなのか、善意あるヨルダン人から借りたのかまでは聞くに忍びなく、その質問は飲み込んだ。それにしても、である。私たちが男性と話をしている間、女性が次々と入ってきて話の輪に加わった。私が知るヨルダンの地方では、男性の集まりに女性は通常入ってこない。このへんに関しては、シリアのほうがおおらかなようである。

女性たちが入ってきたところで、気になっていたことを聞いてみた。

「女性が外部の者に売られているらしいと聞いたんですけど、本当ですか」
「本当です。エジプト人やヨルダン人には五〇ＪＤ（約七二五〇円）で売られていますが、金持ちのサウジアラビア人には三〇〇ＪＤ（約四三万五〇〇〇円）くらいらしいです。キャンプから女性を連れ出すには正式に結婚しなくてはならないので、女性の父親にお金を払って結婚はするけれど、一週間でその男性が消えてしまった、なんて話も聞きました」

アラブ世界では、ふつう花婿となる男性が花嫁となる女性にゴールドのアクセサリーなどを贈り、そのうえで女性の父親を通して、結婚式や新生活を始めるに当たって必要な支度金を手渡す。したがって、父親にお金を渡すこと自体に問題はない。だがザアタリ難民キャンプでは、結婚を前提に紹介された男女が、お互いをもっと知り合えるような場も設定されず、男性から女性の父親への一方的な金の支払いで結婚が成立しているらしいことが推察される。要するに「仮想結婚」で、実質は女性の売り買いといえる。

ＮＧＯで働く私のヨルダン人の友人から、ザアタリでの「人身売買」について聞かされてはいたが、難民キャンプに住んでいた人の口からじかにその話を聞くのは初めてだった。シリア人女性には色白が多く、目も青色や緑色だったりする人もいるので、アラブ人男性に人気があるとヨルダン人の友人が解説してくれた。

紛争が起きると、大きな犠牲を強いられるのはつねに女性と子どもである。

そこで、女性に集まってもらって、さらに話を聞くことにする。集まった女性は一五人ほど。その一人が「とにかく水が遠くにあって、しかも不衛生なのが一番の悩みだ」と力を込めて語った。近くの農業用水を生活用水として使っているが、この前は農場で働くエジプト人が水浴びをしていて、うんざりしたそうである。

さらに「いま妊娠したら大変だ。ぜったいしたくない」とある女性は叫んだ。だが家族計画のサービスをどこで受けるかについては知識がないらしい。子どもの予防接種などは、テントに一番近いヨルダン保健省管轄のヘルスセンターに行く。そのためにはまず大通りまで歩いて行き、それからバスに乗らなくてはならない。小さな子ども連れなので、かなり大変だろう。ある母親も叫んだ。「私たちのほうから今の政府に異を唱えたけれど、今となってはどちらの体制でもいい。戦争になれば、けっきょく被害者となるのは、戦っていない私たちなんだから。とにかく平和がほしい」

このテント村は、目立った支援がないなかで、独自のテント生活を始めてから二カ月が過ぎた。しかし、すでに二〇一二年にパスポートを持って正式に国を出た人たちと、その後の内戦悪化に伴い、パスポートなしに着の身着のままでヨルダンに逃げ込んだ人たちとでは、UNHCRからの支援に差が出てきているようだ。

たとえば「一ヵ月前にヨルダンに到着した者は、四〇〇〇JD（約五八万円）

写真2-4　生活用水：テント生活者のため。

の現金を受け取っているのに、一年以上前に来た私たちは何ももらっていない」と、ある女性が私の同僚にささやいた。本当に現金が手渡されたかどうかはわからないが、お互いに疑心暗鬼が生じており、血縁者のあいだに不協和音が生まれつつあるのかと不安になった。

しかし、キャンプの出口まで見送ってくれたリーダー格の男性の言葉で、こんな不安な思いもいっぺんに吹き飛ぶことになった。

「あなた方が私たちに気を留めて立ち寄ってくれたことに、大変感謝します。話を聞いてくれて本当にありがとう。気にかけてくれたことは、物をもらった以上に嬉しく思います。今日の訪問、本当にありがとう」

このリーダーがいたら、このキャンプも大丈夫であろう。私たちも何か手を差し伸べてあげたい。そんな思いを強く抱いた。

3　村で辛抱づよく生きる

ヨルダン東北部のマフラック県の村で、農村女性の健康調査を実施したときのこと。対象村落は、かつて遊牧民だった人々が住み着いた村であった。

村民のなかには「近くのザアタリ難民キャンプから出てこの村に住み着いたシリア人とは、あまり交わらないようにしている」という人もいる。正面切って「出てけ」とは言わないが、やっぱり難民は村のお荷物なのだろうか。

いったい彼ら難民は、どんな状況で生活しているのか。調査の対象村落に居

写真2-5　テントの住民：女性と子ども。大柄な男性はグループのリーダー格の男性、その横に筆者。

住するシリア人難民女性を訪ねてみた。

一四歳で結婚してから、計八人の子どもを産み育てたニハアさん（当時五〇歳）は、ヨルダンの国境にほど近い、シリアのダラーという町からやってきた。夫の弟が内戦前からヨルダンで働いていたので、マフラック県の村に借家を見つけておいてくれたそうである。まずはザアタリ難民キャンプに入り、正式な手続きを経て、一年半前に夫と二〇代の息子、それに一三歳の娘と一〇歳の息子とともに、借家のあるこの村に住み着いた。この家の家賃は、水道代込みで一五〇ＪＤ（当時で約二万一七五〇円）だという。

ニハアさんによれば、現在ＵＮＨＣＲからは食料クーポンを配布されているだけなので、家賃や生活必需品に関しては、人々からの支援でまかなっている。たとえば、あるとき金持ち風のサウジアラビア人が現れて、かなりのお金を置いていってくれたこともある。あとは、アンマンで働いている二〇代の息子の稼ぎに頼っていると語った。

ヨルダンでは、二〇一四年の時点ではシリア人難民は働くことを禁止されていた。だからいわゆる不法就業ということになるが、実際のところは子どもを含めた大勢のシリア難民が、ヨルダン人より低い賃金に甘んじて働いている。法の目をくぐって生活費を稼いでいるわけである。そのため、結果的にヨルダン人から仕事を奪っており、それが社会的な問題となりつつある（二〇二一年現在、ある一定の仕事への就業は許されている）。ニハアさんは話を続ける。

「ここにいる三〇歳になる娘は、彼女の三人の子どもとわたしの義理の母親を連れてザアタリ難民キャンプに入りましたが、キャンプから逃げ出して、今は全員がこの家に住んでいます。娘の夫は政権側の兵士に両足を撃たれ、牢獄に入っています。彼の両親が薬を届けつづけていますが、撃たれたところが化膿してひどい状態だと聞いています。『いっそのこと死んだ方がましだった』彼の母親がそう嘆いていると聞きました」

これを聞いて、今まで蝋人形のように無表情に話を聞いていた娘さんが初めて辛そうな顔を見せた。だが言葉はひと言も発しなかった。

写真3-1　ニハアさんの孫：実の娘さん（当時三〇歳）の三人の子ども。

話題を変えることにした。「どうですか、ヨルダンの生活は。シリア人の方は夜遅くまで出歩くことを楽しむそうですね。ヨルダン人はちがうと思いませんか」

ニハアさんの義理の母親が、その場の重苦しい空気を変えるかのように陽気な表情で答えた。「そうなんですよ。じつはね。この村と隣接する町に同じシリア人の親戚が住んでいるので、遊びに行ったりするんです。あるとき、真夜中にその親戚の家を出て家族みんなで夜道を歩いていたんです。そしたらヨルダン人から『こんな遅くに歩いているのかい』と言われてハッとしてね。それからあまり遅くに出歩かないようにしています。できるだけヨルダン人と同じような生活をしようと思ってね」自分に言い聞かせるかのように、最後にそう付け加えた。

「ああ、この土地に溶け込もうと努力しているんだなー」と私もつくづく感じた。

ニハアさんたちと話をしていると、カバンを持った男の子が、学校から息を切らしながら明るい笑顔で戻ってきた。ところが、訪問者がいることを知ったとたん、用心深い難しい表情に変わった。ニハアさんが「大丈夫よ。ちゃんと挨拶しなさい」と彼に話しかける。「どなたの子どもさんですか」と聞くと、「わたしのですよ」とニハアさんが誇らしげに答え、彼を思いきり抱きしめた。

ヨルダン政府は、シリア難民の子どもがヨルダンの公立学校に通える措置を取っており、そのおかげで彼女の息子は近くの公立小学校に通学している。子どもが元気に家に戻ってくる光景を見ていたら、ニハアさんたち一家が難民であることをフッと忘れてしまいそうになった。そうか、村に住むとは、子どもが今まで通りに学校に通って、これまで通りの生活ができることを意味するのだと、今さらながら感じた。彼らが村人に受け入れられるよう努力する気持ちも理解できた。

次の日、別のシリア人女性のアイシャさん（当時四三歳）を訪問した。住まいは、大通りに面した古びた一軒家である。玄関を入るとがらんとした部屋に、かつて遊牧民だったこの村の住民と同様、日本の敷布団のような長い座布団が敷いてあったので、その座布団に座り込んで話を聞いた。

写真３-２　アイシャさんの家：家賃は水道代込みで月約二万一七五〇円。村に住むシリア難民が借りる家の家賃の相場はこれくらいだ。

　アイシャさんによると、彼女の夫は反政府体制派に属するため、政府側に抑留されている。ヨルダンには二〇一二年八月に到着し、ザアタリ難民キャンプに入ったが、四カ月でそこを出た。先にヨルダンに来ていた兄弟が借家を見つけてくれていたので、首尾よくその家に移り住んだ。息子三人と娘二人の子どもがいる。ここに一緒に住んでいるのは、一七歳と一四歳の娘と、一一歳と一二歳の息子である。

「子どもさんは楽しい学校生活を過ごしていますか」と質問すると、今まで愛想良く話をしていた彼女が「そうでもないんですよ」と言いながら眉をひそめた。「一四歳の娘は色が白いから、学校の子どもたちから逆に『黒い黒い』といってからかわれるんです。あるときは石を投げつけられて、足にけがをしました」

　どうやらいじめの対象になっているらしい。「学校の先生に言いましたか」と尋ねたところ、「先生に相談したり、子ども同士を仲良くさせたりの努力はしています」と言う。だが、村の新参者に対する露骨ないじめが横行しているらしいことがわかった。ちょうどその話をしているとき、当の娘さんが学校から戻ってきた。確かに色白で、しかもかわいらしい。

　続く話によれば、一番上の息子さんは、内戦が始まる前にはシリアとの国境に近いヨルダンのイルビット県で働いていたが、政権側と戦うため七カ月前（二〇一三年八月）にシリアに戻ったとのことだった。

「『行くな』と何回も反対したのですが、『母さんは僕に教えたことと反対のことを言っている』と反論され、しぶしぶ承諾しました」「何を教えたんですか」「『自分の権利のために戦いなさい。自分の大地のために戦いなさい』と教えました。電話で話はできているので、今のところは安心です」

彼女の顔が曇ってきたのがわかったので、話題を変え、そばでじーっと話を聞いている一七歳の娘さんのことについて質問してみた。

「娘さんは学校に行っていないのですか」「シリアでは行っていたのですが、ザアタリ難民キャンプに入ったときから行かなくなりました。今はいとこと婚約していて、そのいとこが『学校に行かなくていい』と言ったので、行かせていません」

アラブ世界でいとこ結婚は普通だが、いまどき一七歳で婚約とは早すぎる。しかも、目の前にいる娘さんはきゃしゃな体つきで、顔もまだ幼い。

「難民キャンプでは、ヨルダン人をはじめとしたたくさんの外国人がやってきて、娘と結婚させてくれといったんですが、シリア人に嫁がせると言って断固断りました」そう続けてから母親は、「難民キャンプにやってきたシリア人には、きちんとした家柄の人とそうでない人がいるんです。私たちはそれなりの家柄ですから」ときっぱりと言った。「自分たちのような家柄の者は娘を売るようなことはしない」と言いたかったのかもしれない。

それにしても、内戦などがなかったら、娘さんも一〇代で婚約することはなかったであろう。しかし今の状況では、若い女性が身を守る最善の方法は、気

写真3-3　シリアとヨルダンの国境：ヨルダンの村から見える。地元民によると、政権側のトラックが行き来しているとのこと。政権側は国境ゲートを新たに開き、ヨルダンからの物資をそこから運び入れているようだ。

心の知れた男性とすばやく結婚することなのだろうか。
それぞれの事情を抱えながら、村で生きるシリア難民の家族たち。村の住民に受け入れられるよう、そして普通の生活を取り戻そうと、気丈に頑張っている。

4　ある女性の証言「私は希望を捨てません」

内戦が続くシリアの国境に隣接するマフラック県は、土漠におおわれているが、西部の県境に近くなるとオリーブ畑が点在し、美しい景色が広がる。村を歩くと放牧されている山羊や羊の群れと遭遇し、なんとも心が休まる、そんな牧歌的な村で、過酷な状況に直面しながらも前向きに生きようとしている、強い意志を持ったシリア難民に出会った。

「私は二〇一三年の一月二三日にヨルダンに到着しました」そうしっかりした口調で話してくれたのは、一歳一ヵ月の子どもを抱える二九歳（当時）の女性だった。

母親、妹一人、双子の弟二人、叔父二人とその妻たち、それにいとこの総勢一三名が、助け合いながらひそかに国境を徒歩で渡った。そのとき彼女はすでに臨月を迎えており、国境を越えて二キロほど歩いたところで陣痛が始まってしまった。そのため、ヨルダン側国境警備当局の手でそのまま病院に運び込ま

写真4－1　村の風景1：ダラーから逃げてきたシリア難民の女性が住む人口七〇〇人ほどの小さな村。

れた。残りの家族は、ザアタリ難民キャンプに収容されたとのこと。

しかし家族は、ザアタリ難民キャンプには二二日間しかいなかった。というのも、かねてから借家を用意してあり、借家のある村の部族長が保証人になってくれて引っ越すことができたからである。その借家が、いま彼女が住んでいる家である。彼女は退院後に、出産した子どもを連れて、母親、妹一人、双子の弟二人が住むこの家にやってきた。

彼女と家族は、「反政府派」のレッテルを張られたシリア人だった。もともと軍人であった彼女の父親が反政府側に付いいたためだという。

父親は、自分のみならず家族にも身の危険が及ぶと感じ、全員でイラクに逃げた。彼女も六歳から二三年間イラクに住んで、自身は法律家として身を立てていた。しかし一九九五年に父親が死亡したこともあり、家族でシリアに戻ることを決意、ヨルダン国境にほど近いダラーという町に移り住んだ。湾岸戦争後のイラクの治安は不安定なので、シリアに戻ろうと考えたのも自然の成り行きだったといえよう。だがシリアに戻ってから、彼女と彼女の家族に苦難が襲いかかった。

父親はすでに死亡していたが、二〇〇三年に帰国してからも政権側は執拗に彼女一家を追い回した。パスポートが切れても更新されず、彼女らの土地は政府から「差し押さえ」をくらってしまった。

またこの年、八人きょうだいの一番年長だった彼女が、なんの理由もなしに投獄された。彼女がとつぜん消えたので、残された家族は必死に探したそうで

写真４－２　村の風景２：遊牧民が定住した村なので、羊や山羊を飼っている人は多い。

ある。拘束されていたときは汚い言葉で罵倒されたが、四カ月後に無事釈放された。

二〇一一年、再度捕えられた。「ある日、政府から手紙が来て、『出頭せよ』とあるので出かけたんです。一日中待たされ、夕方になってしまったので『帰ります』と言ったら、『いや帰れない』と言われ、そのまま牢獄に入れられてしまいました」

このとき彼女は拷問を受けた。「髪の毛を思いっきり引っぱり回されたり、車のタイヤに縛り付けられて、電気の通ったワイヤーみたいなものでひっぱたかれたり、頭を何回も壁にぶつけられたりしました」

「そして」、と彼女は言った。「このことは母親にも話していないんですけど、じつはレイプされたんです。そのとき私はバージンで、婚約者もいました」レイプされそうだとわかったとき、彼女はこう叫んだそうである。「あなたの子どもにアッラーの加護があるのだから、こんなことをわたしにしないで」

だが男は「あんたと一緒にアッラーをレイプしてやるよ」と言い返したそうである。「一度でなく数回レイプされました。一人の男はアブー・シャディと呼ばれていました（アブー・シャディとは「一番年長の息子がシャディという名の父親」という意味。アラブ世界では最初の息子が生まれると、父親はそのように呼ばれるようになる）。姓はわからない」とつぶやいた。「この男は四〇代後半に見え、もう一人わたしをレイプした男は三〇代後半のように見えました」そう気丈に話した。

しかし話しぶりから、このことは絶対に忘れない、いつかはこの男たちを見つけ出し、その罪をあばいてやろうという強い意志が感じられる。

「あとで知ったのですが、私の他に双子の弟二人と、歯科医師になるための勉強をしていたもう一人の弟も拘束されていたんです。双子の片方は一カ月ほどして、もう一人は六カ月、それに私は八カ月ほどして釈放されましたが、歯科医師になるための勉強をしていた弟だけは拘束されたままでした」

彼女は話を続けた。「じつは、最近になってこの弟が釈放されたんです。釈放されると聞いて、彼を引き取るために母親がシリアに戻りました。そしてそのままです。弟がまた捕まらないように、ダラーとダマスカスを行き来しながら、住む場所を変えているようです」


そのとき、そばで話を聞いていた妹が「ちょっと待って」と言って携帯電話を持ってきた。携帯に写っていたのは、釈放された弟がうつぶせになっている姿だった。背中にはムチの跡と見られる赤い筋が多数付いている。写真を見ていると、彼女はまた話し始めた。

「母親はシリアに戻ってから持病が悪化して、あまり長くは歩けなくなってしまいました。パスポートがないから、非合法に国境を越えなくてはなりません。でも歩けないので、もうここには戻ってこれないでしょう」

「わたしは牢獄を出てから、婚約者にレイプされたことを話しました。すると彼は『すぐ結婚しよう』と言ってくれ、わたしたちは結婚しました。その夫も妊娠三カ月目に連れ去られ、そのままです。生きているのか死んでいるのか、まったくわかりません」

「わたしがヨルダンに逃げようと決意したのは、いざ出産というとき、シリアでは医師や助産師の介助が受けられないかもしれないと思ったからです。政府軍の検問所が多すぎて外出が難しいので、安心して出産するにはシリアを離れるしかなかった。そして徒歩で親族と国境を渡っているとき、陣痛が始まったんです」

「この村の人たちは、総じて親切です。同じ村に住むシリア人のなかには政権側のスパイがいるかもしれないので、シリア人とはあまり付き合わず、むしろヨルダン人と仲良くするようにしています。シリア人には、私たちの素性がわからないようにしています」

「村に隠れて住んでいるつもりなのですが、それでもこのまえ子どもをさらわれそうになりました。子どもを診察してもらうためマフラック市にある難民用の病院に行こうと歩いていたんです。そしたら車が近づいてきて、窓からとつぜん出てきた手が抱いていた私の子どもをもぎとろうとしました。私は必死に子どもを抱きかかえたので、そのまま引きずられ、子どもに覆いかぶさるように思い切り転んでしまいました。そのため、わたしの持っているバッグの中身が道路に散乱して、吹いてきた風で、大事なドキュメントが全部舞っていってしまいました。幸いにもまわりの若者が追いかけてくれて、かろうじて難民IDカードや関連ドキュメントだけは手元に戻りました。病院で『どうした』と言われたけれど、『転んでしまった』とだけ言いました。『付け狙われている』とはとても言えません。それからは子どもを外に連れ出すことは絶対しません。いつも家の中で遊ばせています」

父親がそうであったばかりにシリアで「反政府派」のレッテルを張られ、苦難の生活を強いられた彼女一家は、新天地ヨルダンでどのように生活を維持しているのだろうか。

「住んでいるここの家賃はいくらですか」と聞くと、「一四〇ＪＤ（約二万円）ですけれど、光熱費を除いた全て込みだと一八〇ＪＤ（約二万六〇〇〇円）になります」

「ＵＮＨＣＲからの一人一カ月二四ＪＤ（約三五〇〇円）の食料クーポンだけでは食べていけないでしょう。どのようにやりくりしているのですか」

「わたしと妹にはクーポンが出るのに、双子の弟には渡されません。理由はわかりません。シリア難民はヨルダンで働くことは許されていないので、生活は大変です。イラクにいてイラク人と結婚している妹が、住んでいる家を人に貸して送金してくれているので、やっとのことでやっています。送金してくれている妹家族は、妹の夫の実家に身を寄せていて、窮屈な生活を強いられているようで、かわいそうです」

そのあと顔をしっかりと上げてこう言った。「わたしたちは高等教育を受けた者です。ですから、今の状況でもつねに希望を持って生きようと思います」

さらに「今日は、ここに来てくれて本当にありがとう。いろいろと話を聞いてもらって本当に嬉しかった」と言ってくれた。わざわざ玄関の外まで見送ってくださったうえに、手を振って別れを惜しんでくれた。

難民キャンプや、キャンプの外でテント生活している人たちに比べて、借家でもヨルダン人同様の生活環境下にある彼女らは、まだ恵まれていると言える。身内に金銭的支援ができる者がいるかいないか、どれだけの手持ち金があるかどうかが、借家生活ができるか否かの決め手となっていると思われるが、それにしても、ぎりぎりの生活を強いられていることに変わりはない。

物価が高く、家賃も高い首都アンマンに住むシリア難民のなかには、無償で食料クーポンをもらいながら、並のヨルダン人以上の生活をしている金持ちもいるといううわさを聞く。しかし村で生活している人たちを見るかぎり、これまでのところは何とかやりくりしているものの、どこまでそれが維持できるのか、不透明な状況に陥っていることが多い。

一部の村落では、NGOが家庭訪問を通じて様々な情報提供を行っているようであるが、NGOもUNHCRも、難民キャンプへの取り組みだけで手いっぱいで、ことキャンプの外に住む難民に関しては、どうしても後手に回ってしまう。すべての難民に納得のいく支援をするには、あまりに資金が足りなさすぎるという問題もある。しかし、シリア難民の八〇％強は、難民キャンプの外で生活しているのだ。

この苦境を乗り切る対策の一つとして、現在はヨルダン人が就きたくない一部の職種に関して、シリア難民の雇用が許可されている。だがコロナ禍の状況ではその雇用すら不安定である。長期化する難民生活を強いられるなかで、とくにキャンプの外に住むシリア人への対応を真剣に検討しなくてはならない。

5　難民キャンプで活躍する助産師ママムニラ

私がヨルダンで従事していたプロジェクトのとき同僚であった、ヨルダン人助産師の現在の消息がわかった。ザアタリ難民キャンプで活動するＮＧＯで、難民女性を対象に家族計画のカウンセリングをしているという。

そこで、調査のためにヨルダンに滞在していた二〇一四年三月、彼女に電話してみた。「難民キャンプでの仕事はどう」と聞くと、開口一番に「キャンプ内での活動は毎日がどなりあいだわ。無料の配給物がある日なんか、殺気立った雰囲気よ」とのこと。「今やわたしには二人のボディガードがついているわ」

その言葉に私は驚いた。キャンプ内の治安が悪いとは聞いていたが、そこまでとは。とにもかくにも、自分の目で彼女の仕事を見てみることにした。その旨を彼女に伝えると、「大歓迎よ。ママムニラと言えばすぐに見つかるわ」と快諾を得ることができた。

かつては誰もが自由に出入りができたザアタリ難民キャンプだったが、いまや入り口にはものものしい警備が敷かれ、許可証なしには中に入れない。事前に許可証を得ていたので、幸い難なく入れたが、このキャンプの治安の悪さを十二分に聞かされていた私は、いささか緊張した面持ちで足を踏み入れた。

いざ入ると、入口付近は狭いが奥に進むにつれて間口が広くなっていることが判明した。想像以上に広いキャンプの中で、果たしてママムニラを探せるのか、いささか心配になった。しかし、通りすがりの人に彼女が所属するＮＧＯの名前を告げると、意外とすんなり、彼女の働く診療所にたどり着くことができた。

ママムニラの診療所は厳重な鉄製の柵に囲まれていた。柵の中に入ると、視界に三つのトレーラーハウスが飛び込んできた。トレーラーハウスといっても、車輪は付いていない。その一つが彼女の診療所として使われている。すでに午前一一時半を経過していたにもかかわらず、まだ一五～二〇名ほどの女性が、彼女のカウンセリングを受けようと診療所の前に立って待っていた。順番に、というにはいささか雑然としていたが、緩やかな列はできている。

列を分け入って診療所の中に入り込むと、四畳ほどの狭いスペースに身を置いて、仕事に没頭しているママムニラを見つけた。じゃまをしないよう空いていた椅子に静かに座り、まずは彼女の仕事ぶりを観察することにした。

来月で七〇歳になるというママムニラは、カウンセリングを受けに来る一人ひとりの女性にていねいに説明し、女性が持参する記録カードと自分用の記録

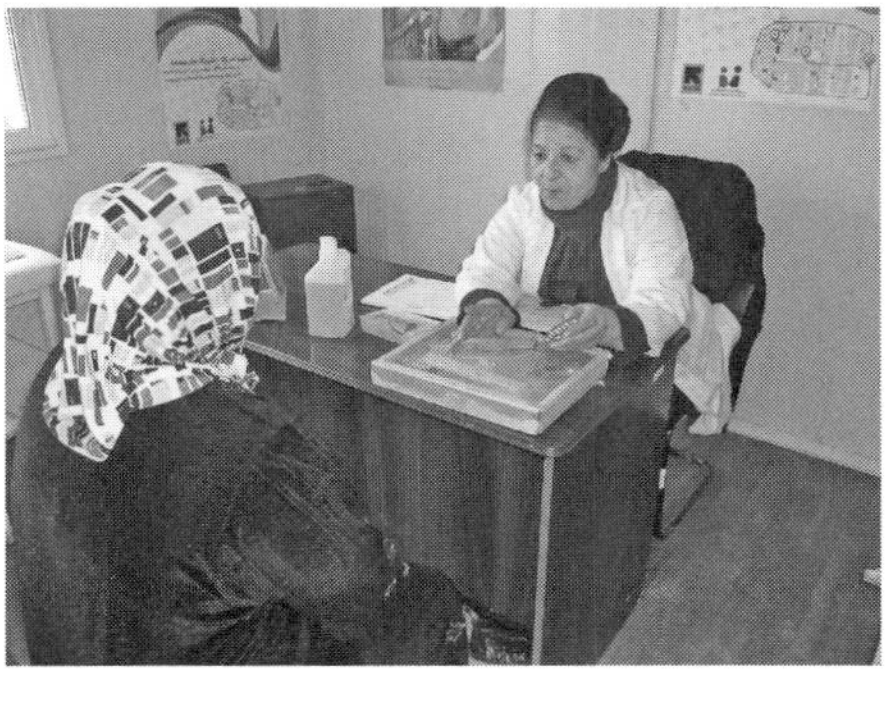

写真5-1　ママムニラのカウンセリング：机の手前に置かれた木枠の箱が「避妊具サンプル箱」。一五年以上前、日本人の専門家がママムニラのために作ったこの手作り教材を、彼女は今でも大事に使っている。

帳に診察内容を記載するという作業を、手慣れた様子でこなしていた。

私が椅子に座ったとたん、ちょうどママムニラからカウンセリングを受けていた女性が立ち上がり、出て行った。そしてそのあと赤ん坊を連れた女性が入ってきた。赤ん坊は四カ月を過ぎたばかりということだが、彼女にとってこの赤ん坊は八人目の子どもだそうだ。「母乳の出が悪いんです」とその母親が言ったので、「ではまず乳房を検査します」とママムニラが応えると、女性は恥ずかしがる様子もなく乳房を出した。

ママムニラが乳房をしぼってみると、母乳が勢いよく飛び出してきた。「ほら、乳がたくさん出るじゃないですか」「でも、粉ミルクが欲しいんですよ」「母乳が赤ん坊には一番いいんです」

しかし女性はあきらめず「粉ミルクをください」と懇願した。ママムニラは「今日は配給日ではありませんからありません。明日もないですよ。明後日来てください」と答えた。彼女が帰ると、私に「できるだけ母乳を飲ませてあげてほしいので、あんなふうに言って粉ミルクをあげないようにしている」とのことであった。

次に来た女性は、「ＩＵＤ（子宮内避妊器具）を装着していますが、不快なので取り除いてください」と言ってきた。ＩＵＤの装着と除去は婦人科医の仕事なので、ママムニラは隣の診療所にいる婦人科医のところに行って除去するよう助言した。だが、ＩＵＤを取り去ると妊娠する可能性があるので、ママムニ

写真5－2　小さな難民：難民キャンプで生まれた赤ちゃん。

ラは女性に頼まれたわけでもないのに、避妊具の説明を一つひとつていねいにし始めた。

ママムニラは説明するとき、小さな箱に展示されているさまざまな避妊具のサンプルを指さしていた。女性が出て行ったあと「この箱を覚えていますか。プロジェクトで使った避妊具サンプル箱ですよ」と私に話しかけた。

それはママムニラのために、手先の器用な日本人専門家が作ってあげた手作り教材だった。「作ってもう一五年以上も経過しているのに、今でも大事に使っているんだ」私は感激した。

ピルを受け取った女性が外に出ると、すぐに別の女性が入ってくる。二〇代前半だろうか。女性は「ピルを一日飲み忘れたので、あわてて翌朝飲んだんだけど」という相談である。ママムニラがいろいろと問診したあとで「妊娠しているかもしれないわね」とつぶやく。「何曜日に来てピルをもらったの」「木曜日」と女性が答えると、私に「木曜日は私の代わりに別の助産師が担当しているんだけれど、説明不足かもしれない」と言った。それから女性には「妊娠しているかどうか確定しかねるので、しばらくコンドームを使うように」という助言をした。コンドームを勧められたこの女性は、すばやく「その効用と副作用を教えてほしい」と要望した。ただ言われるまま、避妊具をもらっていくというわけではないのである。

ママムニラの横に座って見学していると、次から次へと女性が入れ代わり立

写真5-3　トレーラーハウス：事務所や診療所に使っている。

ち代わり入って来る。見ているだけで疲れてきた。人の波が途切れたところで、やっと彼女と面と向かって話をすることができた。

ママムニラは、二〇一二年の八月からザアタリ難民キャンプで働き始めた。あるＮＧＯから、キャンプで働く助産師の監督として来ないかと誘いを受けたという。とはいえ、当時はキャンプの助産師は彼女一人で、監督すべき助産師はだれもいなかった。それではと、自分の発案で、難民女性を対象に家族計画のカウンセリングを始めたそうである。現在は助産師の監督の役割と、家族計画のカウンセラーとの「二足の草鞋《わらじ》」を履いているとのことだった。

家族計画のカウンセリングを始めた当初、その意図について、シリア難民に全く理解されなかった。「戦争でもっと人がほしいのに、なんで家族計画なんか教えるんだ」といって、男性がひんぱんに怒鳴り込んできたそうである。

そこでキャンプ内にある病院の産婦人科病棟の助けを借りて、待合室で女性のみならず、その夫も交えて家族計画について話をすることにした。そんなとき、ママムニラはまず「子どもは神からの授かりものという考えが流布していますが、じつはイスラムの教えでは、母体保護の目的で、出産の間隔を最低二年間とすることを推奨しています」ということを力説する。そのあと「現在のような難民生活では、妊産婦が母体に必要な栄養を十分に受け取れるとはいえず、出産は妊産婦に必要以上の負担を強いることになります。また将来の見通しがつかない難民キャンプの生活は、成長する子どもにとって好ましい環境と

写真5－4　テント：難民キャンプに林立している。

はいえません。したがってこのような状況下で子どもを産むことは、夫婦にとって賢い選択ではありません」と付け加える。こう話すことで、徐々に男性側の家族計画に対する理解が深まってきたという。なるほど、だから今はこんなに家族計画のニーズが高まったわけである。

「ママムニラ、あなたの二人のボディガードはどこにいるの」と聞いたら、「だんだんその必要性がなくなってきたから、今はボディガード兼守衛さん一人よ。難民から絶対的な信頼を得るようになったので。だから今は、みんなからママムニラと呼ばれているのよ」とのこと。そしてこんな話をする。

「この難民キャンプでは、産後女性に哺乳瓶用の粉ミルクを配給しているのだけど、配給しているのはわたし。配給を始めた当初は、無料の粉ミルクをもらおうと、われ先に人が押し寄せるので大混乱が生じてしまった。そこで整理券を発給して粉ミルクを配るようにしたら、混乱がおさまったの。粉ミルクを配給する者として、わたしは自分なりのやり方を貫いている。まず、本当に粉ミルクが必要か確かめるために乳房検査をする。すると、絞った乳房からたっぷりの乳がピューッと勢いよく飛び出してきたりするのよ。そういう人には『母乳が一番だから母乳をあげてね』と言って粉ミルクを渡さない。母親でもない人が乳児を連れてきて、母親だと言って粉ミルクを要求することもある。もちろん粉ミルクはあげない。粉ミルクを転売するためにもらいに来ているのだろうから。でもあげないと、当初は『殺してやる』と脅かされたりもしたので、二人のボディガードが付いたというわけ」

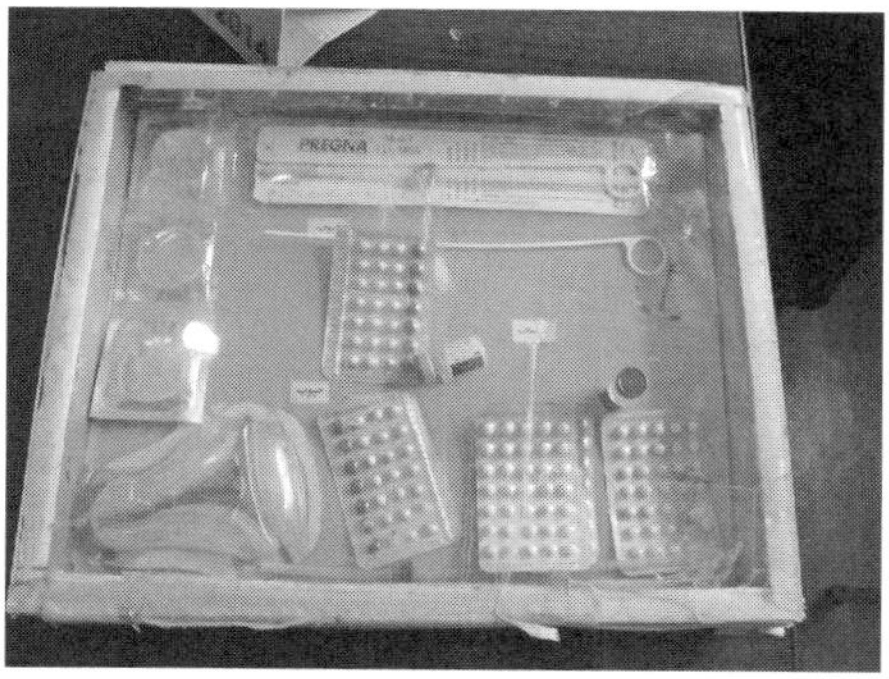

写真5-5　避妊具サンプル箱：さまざまなサンプルが展示されている。

診療所をオープンした当初、彼女自身が難民に対して疑心暗鬼であったとのことで、それを象徴するようなエピソードも面白おかしく話してくれた。

「あるとき粉ミルクをもらいに来た女性に、いつものように『乳房検査をします』といったの。すると、女性の胸の下に何かが身体中に巻き付けてあるのが見えた。『爆弾だ』ととっさに思って、大慌てで逃げ出したら、その女性が逃げ出したわたしを追いかけてきて、私の服の裾を引っ張りながら『心配しないで』と叫んだの。よくよく話を聞いてみたら、身体に巻き付けてあったのは爆弾ではなく、お金を布に入れて身体に巻き付けておいたということなの。キャンプの中は盗難が多いから、こうやってお金を肌身離さず持ち歩いているんですって。でも今はトレーラーハウスで生活する人が増えたから、盗難の心配も減ってきてはいるんでしょうけど」

ママムニラはさらに、キャンプ内の状況にまだ慣れていないころ起こった、悲しい出来事も率直に話してくれた。体調が悪いという女性が来たので、「それなら医師に診察してもらったほうがいい」と言い、それ以上は何も話さずに帰した。すると外で「うーん」とうなる声が聞こえる。慌てて飛び出したところ、さっきの女性が診療所の裏手に走っていくのが見えた。ママムニラは職業的な勘で「子どもが産まれる！」と思ってあわてて裏手に回ると、その女性はしゃがんで赤ん坊を産み落とそうとしていて、すでに赤ん坊の頭が出てきているのがわかった。そこで近くにいた人に「へその緒を切る道具を病院に取りに

写真５－６　〝シャンゼリゼ通り〟：ザアタリ難民キャンプでシャンゼリゼ通りと呼ばれる、一番賑やかな通り。両側には小さなお店がひしめきあっている。

行って」と叫んでから、急遽出産の介助をしたそうである。

ママムニラがその赤ちゃんを取り上げたとき、女性は「七カ月で産まれてしまった」と言ったそうだが、「いいえ、臨月で産まれましたよ」と答え、ママムニラはその通りに記録した。その一週間後、出産した女性の義理の姉が訪ねてきて、彼女の弟（すなわち出産した女性の夫）が、出産した女性と赤ん坊をキャンプの外に放り出したと教えてくれた。産まれた赤ん坊が彼の子どもでないことはあきらかだったから、ということだった。なぜなら、臨月で出産したとすれば、女性が妊娠したとき彼はまだキャンプに到着していなかったからだ。

治安が悪いキャンプ内では、女性がレイプされたり誘惑されたりすることもあるし、金銭のために身体を売ったりすることもあり得る。「それを知っていたら、そんな女性と子どもを世話してくれるNGOに二人を連れて行ったのに。放り出された二人はいったいどうなったかしら」ママムニラはそう後悔していた。この話から、キャンプ内での女性の、不安定な生活環境をうかがい知ることができた。

ママムニラの話に加え、ザアタリ難民キャンプで活動している病院の視察などから、キャンプ内での母子保健・家族計画サービスは今や充実しつつあることがわかる。とはいえ、キャンプ内での女性の生活環境が不安定であることに変わりはない。現在の喫緊の課題は、「キャンプ内での早婚だ」とママムニラは語る。治安が悪いせいか、まだ一五歳ほどの年齢の娘でも、父親が急いで結

写真5－7　パン屋：〝シャンゼリゼ通り〟にあるパン屋。

婚させるそうである。そこで、キャンプ内で結婚した一〇代の女性がすぐには妊娠しないよう、彼女らへの家族計画の啓発に力を入れていると言った。

ザアタリ難民キャンプの訪問。それは、ママムニラのような人物の献身的な活動があってキャンプが支えられていることをはじめて実感した、貴重な一日だった。

写真5-8　最近オープンしたマーケット：マーケットの開店は、難民キャンプが徐々に難民の定住地になりつつあることを暗示する。

第5話　シリアに帰る日は来るのか

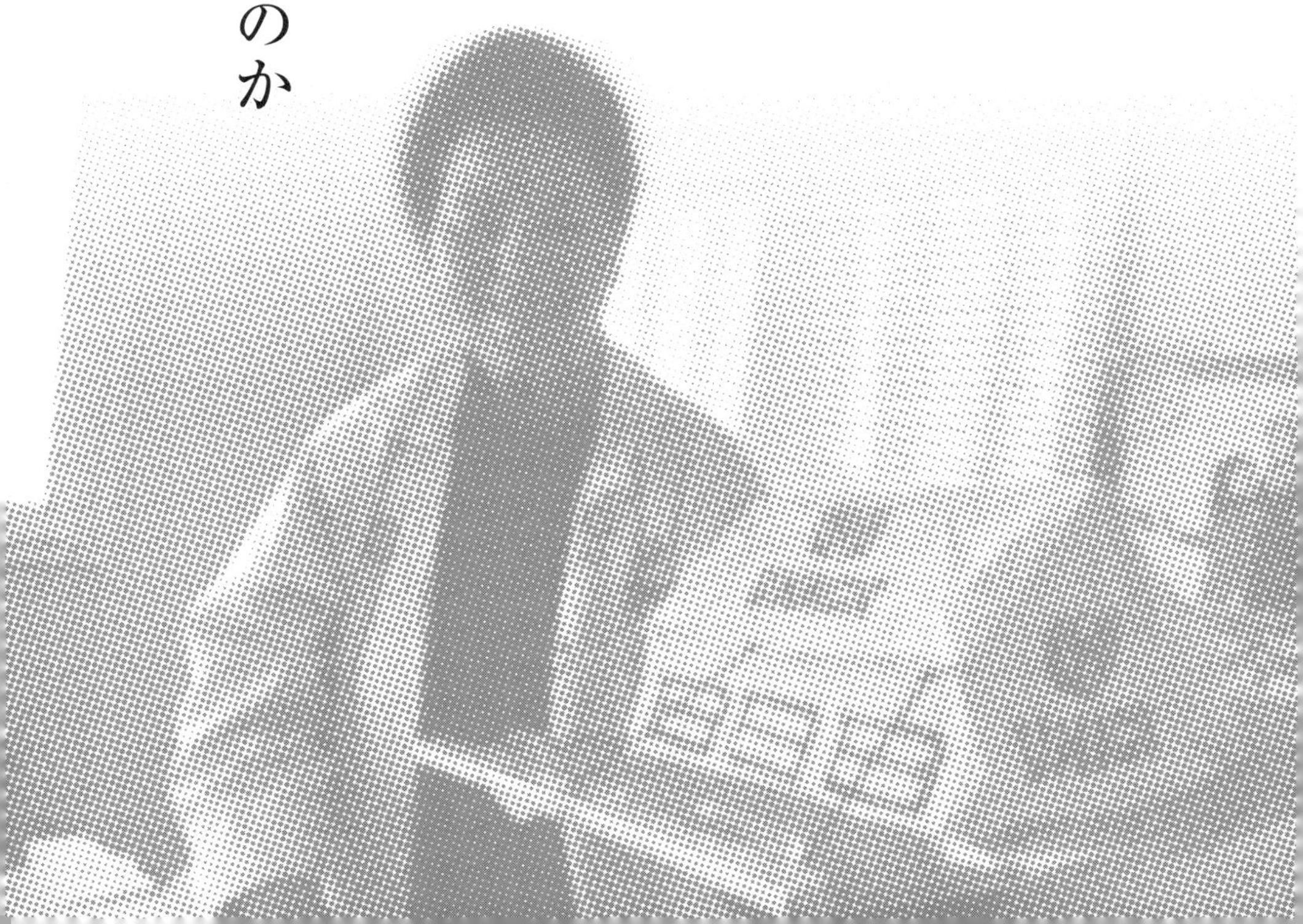

1　六年後に会った女性たち

勤務先の大学の休みを利用して、ヨルダンを再訪する計画を立てた。かねてから、ヨルダンで出会ったシリア難民の方々がその後どうなったのか、私は気になって仕方がなかった。当初二〇二〇年三月を予定していたが、すでに新型コロナウイルス感染症の感染拡大の危険性が報道されており、今回の計画を延期したらいつになるかわからないと思い、急きょ予定を二月に前倒ししてヨルダンへの旅に出た。

エミレイツ航空で羽田を出発、まず乗り換え地点のドバイに到着した。ドバイ空港は、南航路による比較的安い運賃で移動しようとする乗客の、乗り換え地点として人気がある。

飛行機のタラップを降りてロビーに向かうバスに乗ったとき、マスクを着けていたのはたった二人、私ともう一人の若い日本人女性のみであった。

彼女と目があったので「日本人ですか」と話しかけると、「そうです」と答えた。「どこに行くんですか」と聞くと「ここで乗り換えて南米に行きます」と言う。彼女は続けて「マスクをかけているのはあなたとわたしだけですよね。中国人と間違われないよう、外したほうがいいかもしれないとは思いませんか」と言うので、「わたしもそう思いました。どこかの時点で外しますね」と答えた。

ドバイ空港はターミナルが幾つかあり、ヨルダン行きの飛行機は別のターミナルに行かなければならない。南米行きの彼女と別れ、自分のターミナルへの道筋を確認すると、四方八方から足早に大勢の人がエレベーターに吸い寄せられていくのが見えた。急ぎ足でエレベーターに向かって歩きながら何気なく周囲を見回すと、マスクを着けている人など一人もいない。そこで私もマスクをポケットに入れた。

ドバイ出発から三時間後、私はヨルダンのアンマン国際空港に降り立った。かつての古びた空港は、今や建てられたばかりの広い、何となくよそよそしい大きな空港へと変身していた。勝手がわからず、ただ前を歩くこと五分。やっと入国審査のカウンターに到着した。いつものように「マルハバ（こんにちは）」とアラビア語のあいさつをしながらパスポートを見せると、相手はにこりともせずに「あなたは向こうに行ってください」と私が通ってきた方向を指さす。「いつもは愛想が良いのにどうしたんだろう」と思いつつ、その指先の向こうをみると、通路の隅に空港の制服姿の男性が六、七名たむろしていた。何もせず、ただ人待ち顔である。「なぜあそこに行かなくてはならないんだろう。これまでなかったのに」と心の中でつぶやきながら、とぼとぼとその集団に向かって歩いた。一人だけ机の前に座っている男性がいたので、その人の前に立った。四〇代に見える、きりっとした顔つきの男性であった。

私が彼の前に立つと、不愛想に「パスポート」とひと言。パスポートを渡すと、彼はそれをしげしげと眺めたあと、急に笑みを浮かべ「あなたは日本人。どう

写真1-1　夜のアンマンの下町：活気がある。

ぞ入国審査の場所に戻ってください」手のひらを返したような、ていねいな口調に変わった。どうやらコロナが爆発的に拡大している中国から来たと思われたらしい。つまりヨルダンでは、すでに新型コロナウイルス感染症の水際対策が始まっていたのだ。

到着ロビーに向かう通路に一歩足を踏み出すや、押し合いへし合いしながら、家族や親戚が出てくるのをじーっと眺める大勢の人が目の前に現れた。日本ではみなマスクを着けていたのに、ここでは誰も着けていない。「ウイルス・フリーの社会に来た」という想いが、久しぶりのヨルダン訪問で高揚している私の気持ちをさらに高ぶらせた。

到着ロビーでは、私をすぐに見つけてマナールが「ドクターサトー」と言って近づいてきた。マナールは、二〇一一年に終了したヨルダンプロジェクトの、最後の五年間私の助手を務めてくれた人物である。安心していろいろな依頼ができる。現在は人口問題の政策提言をする国の機関に、研究員として勤めているが、今回の私の訪問目的を支援するため、一週間休暇を取ってくれていた。

マナールが運転する車で空港からホテルに向かった。助手席にすわって見る外の景色はすべてがなつかしく、ホテルに到着するまでの二〇分間、移り変わる風景を飽きずにながめていた。アンマンの街中に入るまでの道路沿いには、新築のりっぱな家が増えていた。しかし街中に入ると、六年前とあまり変わらない街並みがそこにあった。生活し慣れたヨルダンがそこにあると確信したと

写真１－２　下町のレストラン：いつもの週日どおり、たくさんの人が入っている。

写真１－３　下町でのウインドウ・ショッピング：左に写っているのはマナール。

たん、かつての自信が一気に舞い戻った。

2 「一家はこれからどうするつもりですか」

「ここに来た当時は知らない土地で本当に大変でした。シリアでは一人で外出しても大丈夫だったんですが、ヨルダンは男性が付き添わないと女性は外出できないですし。でも村の人たちはとても親切なので、徐々にこの土地に慣れました」

そう語るのはニハアさん。ニハアさんは六年前に私が出会ったシリア難民の一人である。そのころのニハアさんは暗く疲れた顔をしていたが、今目の前にいる彼女は、別人のように明るく快活に話す。

ヨルダン再訪の大きな理由は、六年前に偶然出会ってお話をうかがったシリア難民の家族に再会したかったからだ。理由は単純。六年経過して、彼女らが一体どうなってしまったのか気になってしかたがなかったから。知ってどうするのかと言われれば、答えに窮する。しかし「また会いたい」という思いが、私をヨルダンの旅へと突き動かしていた。

難民キャンプからさらに北東に百キロほど離れた、シリア国境に近い村の、ニハアさんを訪ねることにする。家は村のヘルスセンターの隣にあったことを覚えていたので、たやすくたどりつくことができた。しかし車を降りて家に近づくと、誰も住んでいないようなぼろ屋になっている。錆びたスチールのドアを叩いてみたが、中から何の反応もない。家をぐるりと回ると、かつてあったドアの代わりに古いカーテンが風になびいている。中に入ってよいものか思案していたら、若い男性が先ほど叩いたドアから顔を出した。

「ここに六年前に住んでいたシリア人を訪ねてきたのですが」と私が言うと、「それは僕たちですよ」との答え。「わー。今も住んでいるんですね。ニハアさんに会いたいんですが」「ニハアは僕の母親です。どうぞ家の中に！」

錆びたドアの前で、無礼がないように、脱がなくても良いと言われた靴を脱いで中に入る。部屋はがらんどうで家具など何もない。「六年前にニハアさんたちとお話した部屋だわ」と思いながら奥に進むと、各部屋に通じる廊下にたどりついた。廊下にはタイルのようなものが敷かれていたので、靴のない足は冷たくなり、心底身体が冷えていくのを感じる。外で見たより中は広い。冷たい足を気にしながら言われるままに進んでいき、人声がする部屋にたどりついた。ドアがなかったので顔をのぞかせる。年老いた夫婦が驚いたように私を見つめた。

女性はニハアさんだった。彼女の横にいるのは、前に来たとき昼寝をしていたのでお会いできなかった夫。急いで二人に「私は日本人です。六年前にニハアさんにお話を聞きに来た者です。覚えていませんか。ニハアさんに会うため、日本から来ました」そう言うと、二人は大喜びしてくれた。

二人の部屋はストーブで暖かくなっているうえ、床には絨毯まで敷き詰められていた。絨毯の上にはアラブ式ソファも置いてある。日本の座布団を長くしたような敷物で、ところどころに西洋式ソファの肘掛けに似たものがあり、腕を置いてくつろげるようになっている。すべての家財道具が置いてあるのを見て、たくさんある部屋のなかで唯一、この部屋を使っていることが推察された。

気持ちが落ち着くと、ニハアさんの娘と三人の子どもがいないことに気づいた。挨拶もそこそこに、どこにいるかを尋ねてみた。

「娘ですか。六か月前に三人の子どもを連れてシリアに戻りましたよ。政権側の兵士に足を撃たれ、しかも反政府側と疑われて牢獄に入っていた夫が釈放されたんです。今は家族でシリアに住んでいます。見てください、この写真を。幸せそうでしょう」そう言いながら、シリアにいる孫の写真を見せてくれた。

八人の子どもを持つニハアさんは、現在は夫と、二三歳、一五歳の息子と同居している。今回の訪問で新たにわかったのは、シリアに戻った娘を除いた残りの七人の子ども全員がヨルダンに住んでいることだった。前回の訪問で出会った当時一〇歳の息子は、現在も現地の公立学校に通っていて、すでにヨルダン社会になじんでいると話してくれた。

問題は二三歳の息子である。ドアをたたいた私たちを親切に中に入れてくれたこの若者は、身長は一八五センチくらいあり、頑強な体つきだ。建設作業員として働いているが、冬になると仕事がなくなるという。したがって今は仕事がなく、いつも家にいるとのことだった。

写真2-1　ニハアさんの孫：二〇一四年にヨルダンで出会った子どもたちは、今は両親とともにシリアで生活している。幸せそうである。

就業許可を持たないで仕事をしているというので、「許可をどうして取らないんですか。そのほうが、最低賃金法に守られるんじゃないですか」と聞いたら、「血液検査に三五ＪＤ（約五四〇〇円）支払い、就業許可証をもらうのに五五ＪＤ（約八五〇〇円）、おまけに社会保険料をヨルダン政府に払わなくてはならない。つねに仕事があるわけではないのに、社会保険料だけはきちんと支払う。割に合わないうえ、血液検査と就業許可証の更新は毎年しなくてはならない。だから就業許可証は取っていない」とのこと。「じつはカナダに移住したくてカナダ大使館に電話したけど、それはＵＮＨＣＲ（国連難民高等弁務官事務所）が扱うから、そこに行くようにと言われてしまった」

ニハアさんには「これから一家はどうするつもりですか」とぶしつけに尋ねた。「シリアにいたときの家は部屋が七つ、農園もありました。オリーブの木がたくさん植えてあって、それなりの生活をしていたんですよ。でも今は、ほら見てください。いつ天井が落ちてきても不思議ではない家に住んでいます。ただ、ここは安全だから。もし状況が内戦前と全く同じになればシリアに戻るけど、そうでなければ戻りません」

たとえいつかシリアに平和が訪れたとしても、家を失った彼らが母国に戻ったところで、内戦前の状況と同じ状態に戻ることは不可能であろう。以前の状況を取り戻すには、ニハアさんとその夫はもう老齢で無理がある。ということは、私の前にすわっている人のよさそうなこの若者は、彼らとともに難民としてこれからずっとヨルダンで生きていくことになるのだろうか。彼の多難な人

写真２-２　ヨルダンに残ったニハアさんとその家族：ヨルダンでの生活に慣れ、落ち着いた生活を送っている。

生を思うと胸が痛む。

次に、同じ村の片隅にテントを立てて住んでいた一族が、はたして今も住んでいるかどうかを見に行くことにした。ニハアさんの夫に聞いてみた。「アブー・アブダッラかい。彼はもうここにはいないよ」と言った。

「一〇カ月前、彼の部族の一四歳の子が、一八歳のエジプト人の若者とけんかして殺してしまったんだ。それで報復を恐れて、部族長や部族のほとんどがてんでんばらばらに散ってしまった。今もテントがあるけど、彼の部族のうちの一家族が残っているだけさ」

ある部族の誰かが別の部族の一員を殺すと、殺された部族は殺した部族の部族長、または出世頭を殺そうとするのは、アラブの部族社会のしきたりである。それでも日本からはるばるここまで来たので、アブー・アブダッラはいなくても、テントに残っている家族にアブー・アブダッラと一族について聞きたいと思った。すると「テントまで僕が案内してあげる」と二三歳の若者が言う。彼を車に乗せて、村の片隅に立っているテントに向かった。

近づくと、以前は農地にたくさんのテントがあったのに、今は三張りしかない。「ここに間違いありませんか」と若者が聞くので、目を凝らして注意深く観察する。農地の入り口の石の置き方が、二〇一四年当時と全く同じように無造作に積み上げられているではないか。「間違いありません」

車は積み置かれた石の前でゆっくりと止まった。車を降りると、家族がひと固まりになって、われわれを不審そうにじーっとながめている。あわてて近づいて「アッサラーム・アライコム（こんにちは）」とあいさつする。不審者ではないと理解した年長の男性はテントを指さし、あっさり「どうぞ中に」と言ってくれた。そこで遠慮なく中に入って話を聞くことにした。

ここに住む家族は、ニハアさんの夫が言うように、アブー・アブダッラさんの一族だった。この家族は二〇一三年四月にヨルダンに逃げてきた。最年長の男性が家長で、現在は二人の妻と四人の子供たちと一緒に住んでいる。

最初の妻には五人の息子と二人の娘、二番目の妻には一人の息子と一人の娘がいる。つまり、この男性には九人の子どもがいることになる。二〇一八年に就業許可証が出たので、今はテントのあるこの農地の手伝いをしている。一時間一ＪＤ（一五五円）もらっているとのことである。仮に一日八時間、週に六日働くとすれば、月に二一六ＪＤ（三万七二〇〇円）ほどになるので、ヨルダンの最低賃金である二二〇ＪＤに近いことになる。しかし農業は季節労働だから、収入は不安定であることが推察される。

学童期の子どもがいたので、「学校に行ってないのですか」と聞く。「ユニセフから学校に行かせるよう言われ、行かせ始めたけれど、そのうちに一人につき二〇ＪＤ（約三二〇〇円）支払わなくてはならなくなったのでやめさせた」

家長と話しているところへ、男性の最初の妻が近づいてきた。まだ五〇代と思われるが、顔中しわだらけだ。

写真２－３　テント家族：先が見えない生活にイライラしている。

「娘二人は離婚して戻ってくるし、長男は手術が必要な病気で苦しんでいるし（臓器のどこかに石があるらしい）、問題だらけだ」私の身体に自分の身体をピタッとくっつけながら必死に話しかけてくる。彼女には「家計の足しにしてください」と言って、事前に用意していた五〇ＪＤ（約七七五〇円）を手渡した。

そのあとで家族と一緒に写真を撮ったのだが、彼女は私の横にすり寄り、腕を私の背中に回してきた。そして一生懸命に背中をさすってくれる。彼女の手の動きを感じながら、彼女にとっての五〇ＪＤの価値をひしと感じた。

五〇ＪＤを手渡したのにはわけがある。ヨルダンに到着してから、二〇一四年に出会った女性たちにまた会いたいという私の思いを、旅の案内をしてくれるマナールに告げたとき「会ってどうするの」と言われた。確かにそうである。生きるのに必死な難民には、私のセンチメンタルな気持ちなどどうでも良いことだ。

そこで、「じゃー、彼女らの生活を助けるために、持っている日本円全部をヨルダンディナールに換えて、それを彼女らに手渡す」と答えた。お財布の中には七万円ほど入っている。しかしそれはそれで、またマナールから批判された。

「そんなに渡す必要はない。気持ちを示せばよいのでは」

そうだった。イスラムでは、喜捨の気持ちが大事である。お金の額ではない。「まだ修行が足りないな」と心の中で、自分の考えの浅はかさに舌打ちせざるを得なかった。マナールとのそのようなやりとりがあったので、彼女らに会いに来る前、必要だと感じたときはすぐに手渡せるように、前もってお財布に五〇ＪＤの紙幣を何枚か入れておいた。額が少なすぎても、それはそれで「なーんだ」となるので、そのへんの加減は、どんなに長くヨルダンに住んでいても外国人の私には難しい。五〇ＪＤはマナールが「いいんじゃない」と言った額なのだ。

家長が「アブー・アブダッラは二〇日後にここを訪ねてくるよ」と教えてくれたが、それほど長くヨルダンにいられる私ではない。そこで、「彼に私が訪ねてきたことを伝えてください」といって別れをつげた。

テント生活を選んだアブー・アブダッラさん一族は、現在もなお六年前と変わらない生活を強いられている。そして、これからもまだまだ厳しい生活が続くであろうことは間違いない。

「わたしたちは高等教育を受けた者です。ですから、今の状況でもつねに希望を持って生きようと思います」かつて私の目をしっかりと見つめながらそう語った女性は、私が出会ったときはマフラック県でも西部に位置するオリーブ畑が多い地域に住んでいた。弁護士をしていたキャリアウーマンであり、どんな逆境にもめげない意思の強さを感じさせた、とても印象深い女性だった。

彼女が住んでいた村の名前は記録していたが、彼女の居場所を誰かに教えるつもりはないという安心感をもってもらうため、彼女の名前は聞いていなかった。おまけにどのへんに家があったかも、もはや記憶が定かでない。ただ、村の入り口からまっすぐ伸びた道の右側に立つ家の裏手に、彼女らが住んでいたということしか覚えていない。

同行しているマナールが、村にある雑貨屋に立ち寄って聞いてくれた。

「双子の兄弟と、妹と一緒に住んでいて、五歳くらいの男の子がいるシリア人女性の家はどこですか」家は教えてもらえた。しかし行ってみると、シリア人ではあるが別の女性が出てきて言った。「ここは仕事がないので、シリア人のほとんどは他の場所に移ってしまったわよ。今はうちの家族とうちの親戚の二家族の、合計三家族しか残っていません」

そう言われても、せっかくここまで来たのだからと思うと、簡単にはあきらめきれない。村の入り口に戻って、六年前の記憶をたよりに、まっすぐ伸びている道を車でゆっくり走ってもらうことにした。すると「もしかしたらこの家」と思われる家を見つけた。

はやる気持ちを抑えながら車を降りて、足早に家の裏手に回るとドアがある。「確かにこんなドアだった」と思い、ノックする。女性が出てきた。マナールが「この人？」と聞くが、出てきた女性はヒジャブをかぶっていたので「そうだ」と確信を持てない。私が六年前に出会った女性は、ヒジャブを着けずにお話をしてくれた。ヒジャブをかぶっているといないとでは、印象が全く違う。「こんな顔ではなかったと思うけど」と考えながら首をかしげると、マナールが「あなたはシリア人ですか」と聞いてくれた。「いいえ、ヨルダン人です」との返事。「やっぱり別人だったんだ。彼女はどこに行ったのかしら」と英語でマナー

写真2-4　村の入り口にあるまっすぐな道：記憶をたどりながら、この道をゆっくりと進んで、ユスラさんが住んでいた家を探し当てた。

ルに話しかけると、代わりにその人が「私にはわからない。大家さんに聞いてみたらいかがですか」と英語で答えてくれた。

とつぜん訪問した私とマナールに対して、大家さんと彼の妻、それに二人の娘は笑顔で居間に通してくれた。きれいに片付いた居間には、壁に沿って所狭しと西洋式ソファが置いてある。二〇人くらいは座れるであろう。大勢の人が一堂に集まれるようになっているところを見ると、大家さんは部族長なのかもしれない。小さめのソファにマナールと座ると、大家さんと彼の妻もソファに腰をおろした。娘の一人はどこかに行ってしまったが、もう一人は、居間に備え付けてある煙突付きのストーブにまるめた紙を入れて火をつけ、部屋を暖め始めた。

やがて消えていた娘が、紅茶と、ほうれん草が入った手作りのアラブパンを持って現れた。そこでお茶を飲みながら、大家である家長に、まずは一番聞きたかった質問をぶつけた。「裏に住んでいた女性は今どこにいますか」

「ユスラかい。ユスラはニュージーランドに移住したよ」

ユスラというのが彼女の名前と、初めて知った。私はユスラさんの移住に、あまり驚かなかった。彼女だったら運命に身をゆだねているようなことはせず、何か行動を起こすだろうと思っていたからだ。大家さんによれば、ニュージーランドには、ニュージーランド人と結婚している妹が住んでいるとのこと。私がユスラさんとその家族に出会った二〇一四年に、まず妹と双子の弟の三人がニュージーランドに移住し、その三年後に彼女が子供を連れて移住したという。

写真2-5　ユスラさんの大家さん一家：ユスラさん一家が住んでいたころは、仲良くしていた。

生きているかどうかもわからなかった彼女の夫は生きていて、今でもシリアに住んでいるとのことである。

アラブの世界では、子どもは夫側に親権がある。彼と結婚していては子どもを連れて行けない。そこで彼女は離婚を決断した。しかし、夫から離婚の合意を取りつけるまで三年の年月を要した。ニュージーランドでは子どもとの二人暮らしをしているそうだが、彼女なら新たな土地でしっかりとキャリアを築いていくだろう。大家さんの娘さんと今でも連絡を取り合っているというので、「私が訪ねてきたことを伝えておいてください」と娘さんに頼んだ。

今回私が再会した二家族、すなわちニハアさん一家とテントの家族たちは、活発な反政府活動で有名な、ダラーというヨルダンの国境に隣接し農業を産業とする県から来た農民一家である。教育レベルは低く、それほどお金があるわけではない。ユスラさん一家もやはりダラーから来たが、イラクで高い教育を身につけた知識階級と言える。これら三家族のヨルダン到着後を追って見ると、金銭的ゆとりや教育レベルの違いで、その後の歩む道が天と地のように違っているように思われる。

ヨルダンの村々に居住するシリア難民の多くは、ニハアさん一家やテント家族のように、難民になる前は農民であったり、建設関係の仕事をしていた。このような人々は、現況ではヨルダンの産業の底辺を担う生き方を余儀なくされており、今後のヨルダンの新たな貧困層となる可能性を秘めている。それを防ぐには、今後シリア人の子どもたちの教育、及び若者の雇用問題に、本腰を入れて取り組む必要がある。

3　帰国できるまでの一時的保護？

「シリア難民は本当に国に帰りたがっています。われわれの役割は、彼らが母国に帰国できるまでの一時的保護です」とイシュティウイ・アル・アサマットさんは力を込めて語った。

アサマットさんは、シリアに隣接するマフラック県にある、アヘル・アル・ジャバル・アソシエーションというＮＧＯの代表を務めている。一九八七年、ヨルダンに逃れてきた難民の保護を目的に創設され、現在はキャンプの外で借家生活をしているシリア難民の支援を行っている。

アサマットさんが「国に帰りたがっています」と語ったシリア難民だが、内戦が始まってまもなくヨルダンに逃れてきたシリア難民と、最近避難してきた難民の間には、ヨルダン生活への適応度合いに差があるのではないかという思いが私にはあった。すなわち、長期化した内戦初期にヨルダンに到着した難民は、ヨルダンでの生活基盤がすでにできあがり、シリアに戻る気持ちが薄れてきているのではないかと考えたのである。そこでアサマットさんに、それぞれ違う時期にヨルダンにたどりついた難民女性三人を紹介してくださるよう依頼した。

写真３−１　アヘル・アル・ジャバル・アソシエーションの代表を務めるアサマットさんとその職員、およびシリア人ボランティア：中央にいる筆者の右側に立つ女性がボランティア。

紹介された三人は、シリア西部に位置するホムス出身だった。ホムスは宗派間の争いで激戦地となった場所である。三人はスンニ派であるばかりに身の危険を感じ、ヨルダンに逃れてきた点で共通している。彼女らに対して、私は、①シリアを離れた理由、②現在のヨルダンの生活状況、③将来の計画、この三つの質問をした。

最初に出会った女性は四一歳の寡婦だった。二〇一四年七月二〇日、マフラック県のザアタリ難民キャンプに到着したとのことで、内戦初期に逃れてきた人と言える。以下は、彼女が語ってくれた話である。

「私は一五歳のとき、いとこであった当時二三歳の夫と結婚しましたが、夫は三五歳で心臓が原因で病死しました（前述のようにアラブでは、いとこ結婚は社会的慣習であり、貧富を問わずその例は多い）。私はまだ二七歳でしたが、息子二人と娘二人の計四人の子どもが残されました。現在いちばん上の息子は二三歳で、重度の糖尿病があり、働いていません。二番目の長女は一七歳で家にいます。三番目の次男と四番目の次女は、ヨルダンの学校に通っています。

ザアタリ難民キャンプに着いた翌日、私たちはキャンプを出ました。キャンプは浴室も水道もない劣悪な生活環境だったので、とても生活できないということは聞いていていました。マフラック県に住む兄弟や親戚が、すでに小さな家を見つけておいてくれました。賃貸料は彼らが払い、私自身はヨルダン人の家で庭師的な仕事を得て働き始めました。ＵＮＨＣＲからは、毎月食料クーポンと

写真3-2　シリア人ボランティア：写真右の白いユニフォームを着ている二人。左は筆者。

写真3-3　四一歳の寡婦一家：寡婦と二人の子ども。ＵＮＨＣＲやＮＧＯに支援されながら、安定した生活を送っている。

して一一五ＪＤ（約一万八〇〇〇円）、それに生活費として、現金で一三〇ＪＤ（約二万円）をもらっています。

シリアのホムスは危険すぎて外出できません。中は宗派間の争いの場となっています。夫の死後、自宅で料理を作ってそれを売ったり洋裁をしたり、家を貸したり、近所の人が助けてくれたりして生活していました。しかし内戦が始まると、シーア派の隣人が私に「家をよこせ」と脅し始めました。そこであまりに怖くなって逃げる決心をし、今ここにいます。

自分のベストフレンドはアラウイー派（現シリア大統領が属する宗派）の女性だったのですが、内戦が始まると、彼女は二度と自分の前に姿を現すことはありませんでした。ヨルダン人に関しては、最初は自分たちを避けるような感じがしましたが、彼らがわれわれに慣れてきたのを感じます。安全ならシリアに戻りたい。戻れないならヨルダン人になりたい」

二番目に出会った女性は、二〇一九年六月にザアタリ難民キャンプに到着した二五歳の女性だった。

「二〇歳で同い年の夫と結婚しました。二歳半の娘が一人います。娘は話すことも聴くこともできません。生まれてから爆弾の音ばかり聞いているので、そのショックでこのようになってしまったのかもしれません。それとも、妊娠中の体調管理が悪かったからかもしれません。夫は、反政府派でもなんでもなかったけれど、二年半前に殺されました。夫が亡くなり、私の実の両親や兄弟

写真３－４　二五歳の女性：ヨルダンに来てよかったと語った。

姉妹がヨルダンに逃れたので、自分もヨルダンに来ることを決意しました。娘も私も体の調子が悪く、『治療のためにヨルダンを訪問する』という名目が認められ、正式な手続きを経てヨルダンに入国しました。

私の家族全員は、最近できたアズラック難民キャンプにいますが、私はマフラック市に住む叔母の世話になっています。私は一〇人兄弟姉妹の六番目。五人の男兄弟のうち、二六歳の兄は戦闘で死亡。一八歳の弟は行方不明です。今はまだIDがないので、フード・クーポンもなく、現金で毎月一一〇JD（約一万七〇〇〇円）もらっているだけです。ここは安全だし、シリアにいるときから親しかった叔母が一緒にいるので快適です。ここにきて本当に良かった。未来のことは、今は考えられません。ただ子どもには幸せになってほしい。だから、彼女を大事に育てることに専念したいということだけ考えています」

三番目に私がお話を聞いたのは、二〇一三年一一月にヨルダンに到着した三九歳の女性だった。三人のなかでは、一番早くヨルダンに逃れてきている。一軒家を借りて、同い年の夫と五人の子ども、それに六二歳の義理の母と生活している。

「いちばん上の子は長男で一七歳。家でぶらぶらしています。次の子は次男で一一歳。学校に行っていましたが行かなくなり、やはり家で何もしないでいます。三番目の子は三男で九歳。知的障がいがあり、学校が受け入れてくれないので、やはり一日中家にいます。残り二人は六歳と三歳の娘で、上の子は小

写真3-5　生活苦にあえぐ三九歳の女性：左に座る女性は、シリアに戻りたいと切実に訴えた

学校に入学しました。でも近所の一〇歳くらいのヨルダン人の子どもたちに、いつもいじめられています。三歳の末っ子はヨルダンで生まれ育ちました。

ヨルダンに来るため、ブローカーに一人一万二〇〇〇シリアポンド（約二四〇〇円）を支払いました。一四歳未満は無料でしたが。国境で車から降ろされて、一日そこにいたら国境警備隊が来て拾ってくれました。それからルグバーンという国境沿いの町に一日、次にルイシェッドという町に一日滞在し、三日目にようやくザアタリ難民キャンプに到着しました。でもそこには一日いただけ。その後、いとこの家に四日間滞在して借家を探し出し、そこに住みました。そのあとも次々と家を変えて、今住んでいる家には三年ほど住んでいます。夫はもともと土木仕事をしていました。つい最近、サルト（ヨルダン西部に位置する町）で一カ月間土木の仕事をして一〇〇ＪＤ（約一万五五〇〇円）稼ぎましたが、あとは二カ月間仕事がなく、今は家でごろごろしています。ヨルダンをぜんぜん好きになれません。なぜなら私の両親や兄弟姉妹はまだシリアに残っていますし、シリアの私の家はそれは快適でした。将来のこと？　考えたこともありません」

以上のインタビューからわかったことがある。事前の予想に反して、滞在期間の長短が、かならずしもヨルダンへの適応度を決めるのではなかったのだ。当たり前だが、シリアに住んでいたときの状況や現在のヨルダンでの生活環境によって、ここの生活を受け入れるか受け入れないかが決まるのであろう。

最初の二人の女性は、ヨルダンに来る前にすでに寡婦となっており、シリアで親戚や近所の人からの世話を必要としている女性たちだった。ヨルダンに来ることにより、今度はＵＮＨＣＲやＮＧＯが彼女らの面倒を見てくれるという点で、境遇は好転したと言えよう。しかも頼りになる身内が身近にいるので、より心強く感じることだろう。しかし最後に出会った女性は、シリアで平凡ながらも何の不自由もない市民生活を過ごしていた。だがヨルダンに来て状況は一変してしまったうえに、頼りとなる実の親・兄弟姉妹はシリアに残っている。ヨルダンになじめないのも当然である。

シリア内戦が終結すると、ＵＮＨＣＲの新たな仕事はシリア難民の帰還計画になると推測するが、各人の置かれた状況が、シリア難民の帰還の意思決定に大きな影響を及ぼすことになるだろう。

4　カウンセリングに立ち会う

「オー、ドクターサトー」と叫びながら、私に思いっきり飛びついてきたのは、ママムニラ。六年ぶりの再会である。

一九四四年一月一日生まれなので、再会したときは七六歳。しかし、今でもザアタリ難民キャンプで働いているという。キャンプでは、以前と同じ仕事をしているのだろうか。また彼女を訪ねてくるシリア人は、今ではどんな相談事を持ち込んできているのだろうか。最初にザアタリキャンプでお話を聞いたときと今では、彼女の仕事に何か変化をもたらしているのではないだろうか。……そんな想像をしながら、難民キャンプで働く彼女を再び訪ねたのである。

ママムニラはヨルダン国際ヘルスエイド協会（ＪＨＡＳｉ）というＮＧＯに配属されている。このＮＧＯは、ヨルダンに流入するイラク難民を支援するため、二〇〇五年にたった四人のスタッフでスタートした。設立者はヨルダン人の医師。しかし、二〇一一年にシリアから大量の難民が流入するに伴い、ザアタリ難民キャンプで、難民女性のリプロダクティブ・ヘルスの活動を開始した。

筆者が二〇一四年にキャンプを訪ねたときは、狭いところで診療活動をしていたが、今回訪問してみると診療所は別な場所に移転されており、名称も「リプロダクティブ・ヘルス・クリニック」と銘打った大きな施設へと変貌していた。当初はＵＮＦＰＡ（国連人口基金）のみの支援で細々と運営していたが、その後ＥＵ（欧州連合）の援助が加わったので、サービスを拡大することができた。

ママムニラに会う前に、まずはこのクリニックを視察することになった。

リプロダクティブ・ヘルス・クリニックには、正常分娩の対応が可能な設備があると同時に、産前検診や産後検診、および家族計画のカウンセリングと避妊具供給も行っていた。そこで、助産師による家族計画のカウンセリングを実際に見せてもらうことにした。

私たちがカウンセリング室で相談者を待っていると、入って来たのはすでに

写真4-1　クリニック入口：建物に入ると中は薄暗いが、いろいろなサービスを備えたりっぱなリプロダクティブ・ヘルス専門のクリニック。

帝王切開で最初の子どもを産んだ一八歳の女性だった。避妊具について知りたいとのことで、助産師はヨルダンで使用可能な避妊具の一つ一つを丁寧に説明し、「どれにしますか」と聞いた。すると女性は「自分では決められないので夫に相談します」とのこと。彼女が部屋を出ると、助産師はがっかりした様子を見せながら、「彼女は戻ってこないでしょう。夫は反対するに決まっています。すぐにでも二人目がほしいでしょうから。すべて夫の言いなりになっている」と私に訴えるように語った。これを聞いた私は、かつて取り組んでいたリプロダクティブ・ヘルス・プロジェクトで出会ったヨルダン南部の女性を思い出し、「保守的な南部の女性と全く同じ状況だわ」と心の中でつぶやいた。

次に入ってきた女性は二九歳で、六歳を筆頭に四人の子どもがいるとのこと。三カ月の子どもがいて母乳育児をしているので、ピルではなくＩＵＤを挿入したいと言った。「難民キャンプにいるシリア人は一〇代で結婚している人が多く、したがって二〇代ですでに三、四人の子どもを持っている人が多いんです。たとえば、この写真を見てください」助産師はこう言って、コンピューター上に写真を映しだした。「家庭訪問したときに撮った写真です。赤ちゃんを抱いて笑顔のこの母親は、まだ一五歳ですよ。早期結婚は、難民キャンプでの大きな問題です」

ヨルダン国際ヘルスエイド協会は、この「リプロダクティブ・ヘルス・クリニック」の他に、婦人科専門のクリニックも開設したとのことだった。以前にママムニラが使っていた施設は、今はザアタリ難民キャンプに住む住民に対す

写真4－2　助産師のカウンセリング：若い女性が次々と相談に来る。家族計画に関心があることはわかったが、実践するかどうかが課題。

設で、母子保健と家族計画専門のカウンセラーとして働いている。

クティブ・ヘルス・クリニック」で一括して行い、ママムニラは以前と同じ施た。ママムニラは今でもその場所にいるが、家族計画のサービスは「リプロダるリプロダクティブ・ヘルスの、啓発活動の場になっているという説明を受け

難民キャンプに入るや、すぐにもママムニラの場所に行きたかったのであるが、まずはヘルスエイド協会が誇りとする「リプロダクティブ・ヘルス・クリニック」の活動を見てほしいと依頼され、そこに最初に降り立ったのが間違いのもとだった。

ママムニラの施設は歩いて一〇分ほど先にあるようだが、徒歩では危険と言われ、私たちを降ろしてくれた車がクリニックに戻るのを、ひたすら待つことになった。しかし、待てども待てども戻ってこない。そこで歩こうとすると「私たちはこの施設の外には出ない。何が起こるかわからないから。あなたも車を待って」とクリニックの責任者から制止され、しぶしぶ待つことにした。待ち時間にこのクリニックに来るシリア人女性をじっくり観察しようと思いつき、カウンセリング室ではなく、待合室で待機することにした。

待合室の女性を見ると、妊娠している女性ばかり。一様に頭から顎にかけて地味な茶色っぽいスカーフで顔を包み、けだるそうにすわっている。スカーフの間から見える女性たちの顔をちらちらと眺めると、まだ二〇代や三〇代のはずなのに、青白く老け顔である。「さっきカウンセリングに来た一八歳の女性も、

写真４-３　クリニック待合室：暗い待合室の中で、妊産婦が長時間自分の番を待っていた。皆さん疲れた顔をしている。

あと一〇年たつとこのようになるんだろうな」と、私はとつぜん想像した。

車を待つこと一時間。しかし、車は来ない。そこで「ミス・ムニラの所に行かないとヨルダンに来た意味がない！」とクリニックの責任者に強く申し出ると、「ムニラはもうオールド・ファッションの人なんだけどね。どうしても行きたいというのでしたら仕方ありません。では救急車を使ってください」と言われた。遠慮なく救急車に乗った。救急車は人通りの激しい通りをゆっくりと走りながら、五分もかからないうちに、私をママムニラの施設に運んでくれた。

難民キャンプに住む大方の女性は、午前中にカウンセリングを受けに来る。しかし時刻はすでに午後一時。待合室となっている広場にはだれもいない。「ママムニラのカウンセリングを聞き逃した」と内心いまいましく思っていると、カウンセリングオフィスから「オー、ドクターサトー」と、満面の笑みを見せながらママムニラが飛び出してきた。

私の手を引いてオフィスに引き入れてくれ、差し出された椅子にすわると、幸運にもすぐに女性が相談に来た。カウンセリングの様子を観察することにする。

「女性は三一歳で、すでに六人の子どもがいるので、ピルを使いたいと考えている」とママムニラが説明してくれる。すると女性は「そうなんだけど、今日来たのはピルの相談ではなくて、妊娠しているかどうか調べて欲しいの。生理がまだ来ないので、妊娠しているんじゃないかと思って」「では、まずこれに尿を取ってきてね」とママムニラが言った。

尿を持ち帰った彼女に対して、「では、この妊娠検査薬をあなたの尿の中に入れて。入れたわね、そしたら少し待ちましょう」と言ってから、次には自身で結果を判定するよう指導する。

「妊娠検査キットを自宅に持ち帰らせ、自分で検査するよう言ったりするクリニックがあるんだけれど、やり方がわからない人が多い。ここに来た人には手順を教えてあげるようにしている。そうすれば、彼女が正しい方法を他の女性に教えることもできるでしょ」と私に説明する。歳は取ってきているけれど、カウンセラーとしてのムニラさんの腕は全く衰えていないことを確認できた。

別れまぎわに、ムニラさんはしみじみと私に語ってくれた。

「二〇一二年にカウンセリングを始めたときは、シリア人の女性たちから『ヨルダン人になんか相談なんかできない』と言われたけれど、今はみんなが私を信頼して気軽に立ち寄ってくれる。私を見かければ、女性たちの夫ですら『ママムニラ元気』と話しかけてくれる。私の二人の子どもは障害を持って生まれ、二人とも一〇代で死んでしまった。今は夫もいない。でも私にとって、ここを訪ねてくる女性たちが私の子どものような存在。仕事は天職だと思っている」

この訪問時に聞いたところでは、難民キャンプでは、家族一人が増えると、ＵＮＨＣＲからの支給額が月に二三ＪＤ（約三五〇〇円）増えるという。そんな状況で、果たして出産数の減少が見られるのかわからない。だが、ママムニラが女性たちの良き相談相手になっていることは確かだった。

命からがら戦禍を潜り抜け、難民キャンプに到達した女性たちは、さまざまなトラウマを抱えている。彼女らにとってママムニラは、母子保健や家族計画を超えた何でも相談できる自分のおばあちゃんのような存在であり、心の拠り所なのだ。

最近になって、彼女の仕事を無償で手伝うシリア人ボランティアの一人が、ママムニラに、手作りのＵＮＨＣＲテントのミニアチュアをプレゼントしてくれた。テントの台の裏に書かれていた言葉が、ザアタリ難民キャンプでの彼女の仕事ぶりのすべてを物語っている。

Mama Teresa, Santa Claus, Mama Mounira
（ママテレサ、サンタクロース、ママムニラ）
They are symbols of giving, love and blessing in this world
（この三人はこの世における奉仕、愛、恵の象徴です）
The gift of Zaatari refugees to Ms. Mounira Shaban
（このテントはザアタリ難民からムニラ・シャバンさんへの贈り物です）
Art from Zaatari
（ザアタリで作られた作品）
Khediwe Al-Nabulsi
（ヘディウエ・アル・ナバルシ制作）

写真４－４　ＵＮＨＣＲテントのプレゼントとムニラさん：シリア人ボランティアがママムニラにプレゼントしたＵＮＨＣＲのミニアチュア。

５　多発する離婚

地方ではなく、首都アンマンに住むシリア難民は、どんな生活をしているのだろうか。難民支援をしているヨルダン人から、アンマン在住のシリア人女性を紹介していただいた。

お宅に行くと、二人の女性が出迎えてくれた。ソファにすわるよう勧められ、二人も私の横にあるソファに仲良く腰かけた。母親と娘だということである。

母親は、現在五二歳、ヨルダンに避難してから夫と離婚したそうである。アイシャさん（仮名）と呼ばせてもらう。これまで出会ったシリア難民の夫婦は、困難な生活を強いられるなかで、お互いに助け合って生活している様子が見て取れたが、アイシャさんの場合は逆に、困難な状況に陥ったばかりに離婚に至ったということがわかった。

アイシャさんは、二〇一三年にヨルダンに到着している。出身地はダマスカス郊外のリフシャン。二年間、ヨルダン北部のイルビッド市に住んでいたが、その後アンマンに移動し、二〇一七年に離婚した。離婚の原因は「夫が家族を残し、かつ私には何も告げずに、一人でヨルダンに逃げてしまった行動が許せなかった」とアイシャさんは言う。「ヨルダンに行った彼は便りもよこさず、お金も送ってきません。しかしどこにいるかがわかったので、彼を追って家族を連れてイルビット市にたどり着き、彼に合流しました。その後はもとのように、家族全員が一緒に住むようになりました」

だがアイシャさんからすると、彼が家族を置いて一人で逃げたことが許せないうえに、信用することすらできなくなった。そのため関係が悪化、ついに離婚するに至ったという。「彼を許せない」という言葉を発したとき、声は大きくなり、彼女の顔は少し赤みを帯びた。今でも許せない気持ちがこみ上げてくるのだろう。

アイシャさんには、四人の娘と二人の息子がいる。もう一人の息子は反政府グループに属し、政府軍との戦闘中に飛行機から落ちた爆弾で爆死したそうである。「死亡当時は二一歳、生きていれば二六歳になります」と語った。結婚している三六歳の長男と長女は、シリアに住んでいる。

やはり結婚している二七歳の四女は、当初家族とともにアイシャさんと同居していたが、UNHCRから移住の打診があり、アメリカに移住したとのことだった。四女にはすでに娘一人、息子一人がいたが、アメリカでもう一人息子が生まれたとのことである。

それ以外の残り三人の子どもはヨルダンに住んでいて、三〇歳の三女はヨルダン人と結婚している。したがって、彼女の横にすわっている娘さんは次女ということになる。二二歳の三男は、現在はシリア人経営のナッツショップで働いていて、月三〇〇ＪＤ（約四万六五〇〇円）の給与をもらっている。イルビッ

写真5-1　間借りしている家の正面：家の後ろに入口がある。

ドにいたとき、ソファなどの布を扱う店で働いていた。重たい反物を運んだためヘルニアになり、三回も手術を余儀なくされたそうである。ヨルダンに到着したときは一五歳だから、重たい反物を運ぶ仕事はまだ無理だったようである。一回目の治療費はＵＮＨＣＲが支払ってくれたが、そのあとは、すべて自費だった。

そこまで話してくださったアイシャさんに、今度はヨルダンでの現在の生活について話を向けた。答えは次のようなものだった。

「ヨルダンに到着したころは、一カ月くらいで戻るだろうと思っていました。まさかこんなに長く住むとは、夢にも思いませんでした。ヨルダンは安全なので、その点は安心です。でも、ヨルダン人とは誰とも交わりません。ヨルダン人は誰も話しかけてくれませんから。私たちを恐れているんじゃないでしょうか。ただ危害を加えてくるといったことはありません。

それでも、人間関係という点では一つ問題を抱えています。それはヨルダン人の娘の夫です。彼は『あんたたちが何か問題を起こしたら、いつでもシリアに送り返してやるぞ』と脅すんです。ですから娘は始終、彼と口論しています。シリア人とはとても仲良しで、お互いに助け合っています。シリアにいたときのように遊びに行ったり、遊びに来てくれたり。その点で寂しさは感じません。

この戦争は、シリア人全員に影響を与えました。これまではどの宗派に属するかなんて考えたこともなく、姉妹のように仲良くしていた友達がいました。

でも、戦争が起こったとたんに、赤の他人です」
「将来についてどう考えていますか」と、私が漠然とした質問をなげかけると、
「ここに小さなアパートを買うか、海外に移住したい。シリアに私名義の土地と家がありますが、どうなっているのかわからない。あんなところに戻る気はありません」

隣に座っている次女は三二歳、やはり離婚しているという。六人の子どもがいる。一番上の一八歳の長女は結婚し、七カ月の赤ん坊がいる。その下には一六歳と一一歳の娘がいて、次に一三歳、七歳、四歳の息子と続く。長女を含め、全員が一緒に生活している。七歳から一六歳までの子どもは、きちんとヨルダンの学校に通っているそうである。

次女は母親とともに、二〇一三年にヨルダンに到着した。到着後二年間は夫も同居していたが、その後離婚。まだ夫と一緒にヨルダンで生活している二〇一四年に、ＵＮＨＣＲからとつぜん電話がかかってきて、「アメリカに移住しませんか」との打診があった。それでアメリカに行こうと夫を誘っても、「いやだ」の一点張り。「夫婦で移住しないのであれば、残念ですが」ということで、移住の話は立ち消えになった。

その後、二人の関係は悪化し、二〇一五年に離婚した。話しぶりから、移住の件で二人の意見が食い違い、離婚につながったことは間違いない。元夫は、シリアに戻って彼の両親と暮らしているそうである。「彼はお金を送ってもこ

写真5－2　右端から次女、母親、筆者、同居人：女同士助け合って生きている。

ないし連絡もしてこない。シリア内戦がすべてをこわしてしまった。住んでいた家を破壊し、われわれ夫婦の関係も破壊した。たくさんの子どもがいるのに、帰るべき家がない」と言って、彼女は私の前で嘆いた。

話を終えようとすると、一人の女性がお茶を持ってきてくれた。「シリア人ですか」と聞くと「はい」という。それを引き継いでアイシャさんが「彼女は二年前から一緒に住んでいます。彼女には五歳の子どもがいます。どこにも行く場所がないので、私たちが引き取りました。やはり離婚しています」とのことであった。

まさか、難民になってから離婚する夫婦がいるとは想像していなかったので、アイシャさんたちの話は衝撃的だった。そういえばマフラックでテント生活をしている女性の娘二人も、離婚して親元に戻ってきていたことを思い出した。どうやら難民生活は、夫婦の絆を強める場合と、絆を壊してしまう場合の二通りがあるようだ。

アラブ圏では、夫は当然のこととして、家族を養う役割が期待されている。しかし難民生活が長引き、職に就けない夫の尊厳は、いたく傷つけられてしまっているのではないか。そのことが夫婦の些細な口論につながり、そのうちに夫婦の関係にひびが入ってしまうことが推察される。

6　難民問題と社会の変化

いま、ヨルダン渓谷の北ゴールの道路を走っている。

ここは地溝帯《ちこうたい》の北に位置し、アフリカへとつながる標高マイナス四〇〇メートルの谷間に当たる。訪れたのは二月下旬だが、北ゴールは二二度。出発したときのアンマンは一二度、冷たい雨が降っていたので、この暖かさは心まで軽やかにしてくれる。

北ゴール地域は、プランテーション農場が至る所にあり、農場から農場に移動しながら、日雇い労働で生活を営んでいるシリア難民がいるとの情報を得ていた。私は、点々と移動する難民の生活も知りたいと思い、北ゴールにやってきたのだ。

北ゴールの道路を走ると、道路脇には農産物直売所もあり、私たちの目を楽しませてくれる。穏やかな気候で、なんとなくピクニック気分でいたら、とつぜん「あの若い人、シリア人っぽい顔している。運転手さん車を止めて。聞くから」と、同行してくれているマナールが運転手に言った。車を止めて窓を開け、シリア人らしき若者に話しかけた。

「こんにちは。シリア難民を探しているんですけど、あなたはそうですか」

若者は笑顔で「そうだよ」と返事した。「ちょっとお話ししたいんですけど」

写真6−1　農産物直売所：北ゴールの道路脇のあちこちにある。

彼女がたたみかけるように言うと、「どうぞ。家はこっちだ」と拍子抜けするくらい簡単に承諾してくれた。畑と畑の間の泥道を彼が歩き出したので、私たちの車の運転手は、泥に車がはまらないようゆっくり運転しながらあとを追った。

小さなテントがいくつも立っているのが見えてきた。軽トラックまである。

「テントの中を見てもいいですか」「いいよ」

興味津々にいくつかテントをのぞいた。一間のテントもあるが、テントの中に仕切りがしてあって、居間と寝室の居住空間が作られているテントもある。小さなテントが五、六張り、大きなテントが一つ。夫婦のテント、子どものテントというように、プライバシーを大切にする立て方をしている。シャワールームも男性用と女性用を作り、トイレも設置したとの説明を受けた。しかし農場の日雇いなので、四カ月すると別の場所に移動しなければならない。テントをたたむにも、また新たに組み立てるにも、一週間はかかるということだった。

大きなテントに招き入れられた。床には赤の色調の絨毯が敷き詰められ、アラブ式のソファも備わっている。テントとはいえ、どこにでもある田舎のアラブの家の居間のように見える。北ゴールの明るい陽射しに照らされたテントの中は、絨毯の赤と相まって、華やいだ雰囲気がある。テントの奥は、大きなテレビが天井の梁にくくりつけられている。サテライト・ディッシュがあるので、衛星放送を見ていることがわかった。この農場の所有者は、パレスチナ系のヨルダン人で、彼が電気と水を供給してくれている。もちろん供給してくれない

写真６-２　テントの外観１：家族総出で建てたテント。

写真６-３　テントの外観２：台所やシャワールームもあり、できるだけ快適に過ごすための工夫がなされている。

農場主もいると付け加えた。

いわゆる拡大家族が、これらのテントで生活していることがわかったので、家族全員に集まってもらった。数えると、子どもを入れて総勢一三人。

構成は、夫を二一年前に亡くした六〇歳の女性、その女性の長男夫婦（夫三九歳、妻三三歳）と子ども三人（一四歳の男、一二歳の女、六歳の男）、次男夫婦（夫三二歳、妻二〇歳）と子ども三人（五歳の女、三歳の男、一歳の女）、それに独身の二五歳の三男と二六歳の四女。あと三人娘がいるが、結婚していてシリアに残っている。

「日雇いの畑仕事は誰がやっていて、いくらもらっているのですか」と聞いた。

私たちをテントまで案内してくれた独身の三男が、「日雇いで男三人が、一人一ＪＤ（一五五円）で働いている。エジプト人は三ＪＤ（三一〇円）だけど、ぼくたちは一ＪＤ」

エジプト人はエジプトからの出稼ぎ者で、ヨルダンではヨルダン人が嫌う肉体労働やサービス業に多く従事している。

「値上げしろと言わないんですか」と聞くと、「言ったけど断られた」「どうやってこの仕事を見つけたのですか」と聞いたら、今度は代わりに長男が経緯を語ってくれた。

「二〇一三年にハマー市（シリア西部のハマー県の県庁所在地。大きな水車があることで有名）から、まず僕とその家族がヨルダンに来ました。パスポートで合法的に入国したんです。ザアタリ難民キャンプには、二日間だけいました。それから今のようなテント生活を始めた。僕たちを追って、僕の母親と兄弟がヨルダンにやってきたので、今のような大家族になったわけです。テント生活はしたくてしているわけではありません。ハマーでは家があって、飼料を取り扱う商売を手広くやっていた。ここでは他に生きる術が見つからず、これしかなかったんです」

みなさんに「今の生活はいかがですか」と聞くと、「アルハムドゥリラ（問題ないです）」と、一様ににこにこしながら答える。しかし「将来はどうするつもりですか」という質問には、全員が「シリアに戻りたい」と、これもまたにこにこしながらいっせいに答えた。

六〇歳の母親は、みんなに囲まれて幸せそうな顔をしている。大変な生活であることは明らかであるが、家族が一丸となってお互いを支えながら生きている。困難な状況のなかでも、北ゴールの明るい陽射しと支えあう家族がいればがんばれる。難民の方々の将来を思うと胸が痛むが、不透明な将来のことを忘れさせてくれるような難民家族との出会いだった。

「あの店のアラブサンドはおいしいのよ」と言われ、「あれ、前にそんなお店なかったと思うけど」「最近できたのよ」とたあいもない会話をしながら、マナールと一緒にアラブサンドのファーストフード店に入った。

アラブパンに入れる具材がアルミの箱に入っていて、客が好きな具材を注文すると、店の人はそれをパンに入れて、好みのサンドイッチを作ってくれる。どの具材がいいか迷っていたら、注文を待っていた女性が「どれにする?」と

写真6-4　兄弟と男児：女性と女児は写真に撮られるのをこばんだ。

勢いよく尋ねてきた。マナールがこっそり「彼女、シリア人よ」と言った。

「えー、エジプト人じゃないの」

「シリアなまりのアラビア語をしゃべるから気が付いたわ」

ヨルダンには「恥の文化」というのがあり、ヨルダン人はサービス業や、いわゆる3Kと呼ばれる仕事に就きたがらないことは前に述べた。以前は、その空きポストを埋める人の多くが、エジプトからの出稼ぎ労働者であったが、現在ではシリア人もその役を担っている。

写真7－1　アラブ・サンドイッチ：私が頼んだ「ソースなし」。

私は「ファラーフェル」のサンドイッチを注文した。「ファラーフェル」とは、ひよこ豆にコリアンダー、パセリ、玉ねぎを入れてペースト状にしたものを、直径三センチ、厚さ一センチの団子にして高温の油で揚げたものである。彼女は二枚重ねのアラブパンを開いて、中に「ファラーフェル」を入れてぎゅっと押しつぶした。そのあと、ミント、レモン、オリーブ、酢漬けしたきゅうりを上に添える。

最後にマヨネーズや白ゴマのペースト（タヒーネ）といったソースをかけるようだが、私はソースなしを頼んだ。彼女から受け取ったアラブサンドは、さっぱりとした上品な味で、大変おいしかった。

写真7－2　ホテルでの筆者の定番朝食。下段中央：煮豆（フール）。下段左：アラブパン。上段左：ゆで卵。上段左中央：左から時計回りに①つぶした焼きナスとゴマペーストなどを混ぜたもの（ムタッバル）②ひよこ豆のペースト（ホンモス）③若い緑果オリーブの漬物、完熟オリーブの漬物、きゅうり、④ヨーグルトから水分を抜いたもの（ラブネ）。上段右中央：ミルクコーヒー。上段右：ヨーグルトの上に干しぶどうとナッツ。

ヨルダンはもともと、ベドウィンの遊牧民が行き来した地域だった。そのせいか、客人をもてなすときに供される最高級料理は、「マンセフ」と呼ばれるベドウィン由来の料理である。

大きな皿の上にバターやサフランで炊いた干しブドウ入りの米を載せ、その上に塩ゆでした羊の肉を載せる。全員立って左手を後ろに回し、右手で思い思いに食べるのだが、食べる直前に乾燥ヨーグルトを溶かした生温かいソースをかける（このソースは、私の経験では生暖かいと動物臭いにおいがし、油が表面にギラギラと浮き出る。日本人は通常、食べ慣れるのに時間がかかる）。

先ほど述べた「ファラーフェル」は、ヨルダンのみならず、他のアラブ諸国でも大変ポピュラーな食べ物である。またアンマンではレバノン料理のレストランをよく見かけるが、そこで出される料理はヨルダンの普通のレストランでも供される。このことから、移民国家であるヨルダンの食文化は、まさに近隣アラブ地域の食文化の十字路と考えられる。しかし味は、どうやら発祥の地とは微妙に違うようだ。

以前、シリアの第二の都市と言われるアレッポに滞在したことがある。そのとき、何気なくスイーツ店に立ち寄った。そこで多彩なスイーツが並んでいることにまず驚いたのだが、びっくりしたのは野菜を使ったスイーツがあることだった。またその店で初めて、ローズ水というものにも出会った。作り方を見ていないのでよくはわからないが、バラの花びらを使った水であることは確かだ。バラの甘い香りがする。ヨルダンにもあると思うが、自宅で中東料理を作ったことがないせいか、それとも目立たないところに置いてあるのか、ヨルダン

写真７－３　アンマンのレバノン・レストラン：かつての同僚と。レバノン・レストランは高級店が多い。

写真７－４　アンマンの下町レストラン：多国籍料理の店だ。

でローズ水に気が付いたことはなかった。

アレッポで立ち寄った店には大量のローズ水の瓶が置いてあったので、ローズ水なるものが菓子などを作るとき使われることを知った。シリア難民を支援する知り合いが「食材を支給するんだけれど、結構注文が多いと聞いたわ。あれはないか、これはないかと聞くそうよ。シリア人が食べているものは、私たちが食べているものとは別な味がするようよ」と苦笑いしながら語った。シリアとヨルダンの料理を比べると、食材や調理方法の点で共通点は多い。だが嗜好という観点では、シリア人はより繊細な味覚を持っているように思える。


かつてヨルダンに押し寄せたパレスチナ難民やイラク難民は、高学歴で資産を持つ者も多く、ヨルダンの経済成長に貢献したと言われる。それに比べ、シリア難民の約四割はヨルダン国境に近いダラー県から来ている。ダラーは農業が盛んであり、当然ながらダラー出身者は豊富な農業経験を持つ。アレッポやホムスといった比較的都会的なところから来た難民もいるが、彼らの場合は木材加工や手工芸品といった家内工業に従事している者が多いようだ。

シリア難民の長期化が、ヨルダン社会にどんな影響を与えるかについての予測は、難民流入から一〇年経過した今でも難しい。しかし現状を見る限り、経済的には豊かでない社会層に組み込まれつつある彼らではあるが、これからのヨルダンに、食や手工芸品などを通して、より豊かな生活文化をもたらす存在となることは想像に難くない。

第6話　これからのヨルダン

——コロナ禍の未来を探る

1　コロナの不安と家庭内暴力

首都アンマンに居住するシリア難民に会うため、マナールと一緒にタクシーに乗った。タクシーの後部座敷にすわるやいなや、運転手が突然くるっと上体を半回転し、座席の背もたれにのしかかってマナールに話しかけた。「この人、中国人？」「違います。日本人です」

アラビア語でのこの簡単なやりとりを理解した私は、すかさずアラビア語で運転手に言った「大丈夫。私はウイルス・フリーです」するとマナールもすかさず「日本にはコロナウイルスなんかないわよ」と言い放つ。私を守るための嘘である。「そういえば、こんな風にして彼女に守られたことがあったな」なんて、かつてを思い出してセンチメンタルな気持ちに浸る間もなく、運転手はすぐに「そうかい。日本人か。安心したよ。ヨルダンにようこそ」と上機嫌になり、また正面を向いてエンジンを動かした。運転手は運転しながら延々と「コロナが中国で大爆発して、いつヨルダンに感染が広がるか心配だ」と話し続けた。私は相槌を打ちながらも、話に夢中になってハンドルを握る彼の運転に不安を感じていた。

傍目《はため》には何も変わっていないヨルダン。しかし、アジア人の私に対する運転手の率直な反応を見て、ヨルダン市民が徐々にコロナウイルスの危険性を感じ取っていると感じた。すなわち、中国人と間違えられてもおかしくない私は、この国で危険分子の一人とみなされかねない危うさを抱えていることになる。かつてのように自由気ままに動かないほうが良いと肝に銘じた。

「一週間早く来て良かったですね。いま到着したら、入国するのが大変でしたよ」

ＪＩＣＡヨルダン事務所長が開口一番に言った。帰国する直前の二月二七日、私はヨルダン事務所に立ち寄った。そこで、私が入国してからヨルダン政府のコロナ対応が強化されたことを知らされた。シリア難民対応だけでも財政負担が大きいヨルダンに、今度はコロナ対策という新たな課題が加わることにより、ヨルダン政府はどのように社会の安定を図っていくのだろうか。そんな疑問が頭に浮かぶ。

二〇二〇年一一月六日付けの朝日新聞の言論サイト「論座」に、「新型コロナから見る中東」という連載記事が掲載された。記者は元朝日新聞記者で、現在はフリーランサーとして活躍する川上泰徳氏である。この記事によると、私がヨルダンを去った日の四日後に当たる三月二日に、初の感染者が確認されたとのことである。

三月一四日に政府はコロナ対策を発表、「すべての国境と空港や港を閉鎖し、外国との通行を停止した」翌一五日には「幼稚園、小学校から大学まですべての教育機関を閉鎖し、すべての行事と葬式、結婚式を含むすべての集会も禁止し、『必要な外出以外は自宅にとどまるように』と呼びかけた」とのことである。

最終的には、二一日に外出禁止令が布告され、外出したとして初日に三九二人が逮捕されたとある。いわゆるロックダウンである。しかし、六月には行動規制の緩和がなされ、「九月初めの段階で、死者は二〇人以下と、中東で最も成功したコロナ対策を実現していた」が、二カ月経過した一一月時点で陽性者は四〇倍、死者は六四倍になった。ヨルダンの知人によると、クリスマスであり、かつモスク礼拝の日でもあった一二月二五日（金曜日）はロックダウンだったと聞いた。それ以外の日は夜一〇時以降外出禁止とのことで、「退屈で仕方ない」と嘆いていた。

コロナといえば経済的打撃が目につくが、自宅にいる時間が長くなることによる人々の生活に及ぼす影響も無視できない。その一つが家庭内暴力である。二〇二〇年四月に開催されたCOVID19に関するセミナーで、第5話に登場したヌハは、コロナ禍で夫が家に滞在する時間が長くなり、家事に協力するようになった夫が現れた半面、家庭内暴力が増加したと述べた。NGOであるプラン・インターナショナルが実施した調査においても、男女回答者の六九%は、家庭内で女性に対する心理的・身体的暴力が増加したと感じている。[*1]

女性への家庭内暴力は、世界の至るところで日常的に起こっている現象である。ヨルダンにおいても同じで、女性に対する家庭内暴力の問題は、コロナ以前にも存在していた。そしてこの事実が家庭外に漏れることは、恥としてひた隠しに隠されるいっぽう、理由によっては暴力も許容されている側面がある。たとえば二〇一七、一八年の調査[*2]で、一五〜四九歳の既婚女性を含めた、一度

写真1-1　二〇二〇年四月に開催されたコロナ関連のセミナー「COVID19とジェンダー」で講演するヌハ：夫が自宅に滞在する時間が長くなったことで生じた夫婦の関係性の変化について（写真の中央がヌハ）。（ヌハ・マハレイズ氏提供）

＊1　Plan International (2020) *Jordan Sees Increase In Domestic Violence, Poor Access To Family Planning*. https://reliefweb.int/report/jordan/jordan-sees-increase-domestic-violence-poor-access-family-planning（二〇二一年二月一〇日閲覧）

は結婚したことがある女性の四六％は、夫が妻に暴力をふるってもいたしかたない場合があると回答している。その理由として、主に以下の三つが挙げられている。

1．夫以外の男性と性的関係を持った（四二％）
2．夫を侮辱した（一八％）
3．夫の言うことに従わなかった（一三％）

また、男性（一五歳〜五九歳）の六九％は、女性に暴力をふるう行為は正当化されると考えており、その主な理由として以下を挙げている。

1．夫以外の男性と性的関係を持った（六五％）
2．夫を侮辱した（三七％）
3．夫の言うことに従わなかった（一三％）

コロナ禍により家庭内暴力が増えてきた一因として、「妻への暴力はあっても当然。夫から暴力を受けても当然」という潜在意識が、夫婦が一緒にいる時間が必然的に長くなることにより、より顕在化したとも考えられる。

*2 Department of Statistics (DOS) and ICF. 2019. *Jordan Population and Family and Health Survey 2017–18*. Amman, Jordan, and Rockville, Maryland, USA: DOS and ICF.: p.238. https://dhsprogram.com/pubs/pdf/FR346/FR346.pdf（二〇二一年一月一四日閲覧）

2　フセイン国王からアブダッラ国王へ

「フセイン国王がミネソタから戻って来るんですって」と、私にヨルダン人の同僚が話しかけた。フセイン国王は、アメリカのミネソタ州にあるメイヨークリニックでがん治療を受けていた。「良かった、回復されたんだわ」と喜んだが、同僚によると回復してはいないという。

一九九九年一月九日。フセイン国王が乗った飛行機がアンマンに近づくと、国王は自らが操縦士となり、ヨルダンの地に着陸した。アンマンは標高九〇〇メートルの高地にあり、冬になると雪が降ることもある。その日はとくに寒い日だった。オープンカーに乗って宮殿に向かう国王を道端で待ち受ける群衆に混じり、私も立とうとしたが、あまりの寒さに家でテレビ中継を見ていたくらいである。極寒のなか、宮殿まで立ちっぱなしで手を振りつづけた国王。お元気そうだった。

しかし、国王の後継者をアブダッラ王子（現国王）と決めるや、すぐにアメリカに戻って手術を受け、その直後にヨルダンにUターンされたのである。テレビには、空港からがん専門病院に向かって疾走するフセイン国王の車が大写しにされた。体調の悪化を感じさせる映像だった。そしてその二日後の二月七日、国王は亡くなった。享年六三歳。四六年近くの長きにわたる在位であった。


ヨルダンに来て間もないころ、息子の通うアメリカン・スクールで、フセイン国王（当時）を間近にお見掛けしたことがある。国王の末娘が私の息子と同じアメリカン・スクールに通っており、国王はその娘さんが参加する学校の学芸会を見に来られたのだ。国王は、学芸会が始まる一〇分ほど前にはお見えになり、用意されていた舞台中央の最前列の席に座られた。

プログラムが半分終了し、休憩時間となったときのこと。国王は当然ながら休憩室で休まれると思ったが、休憩室は用意されていないようで、手持ち無沙汰の状態で席におられた。すると、保護者と思われる数名のアメリカ人女性が、興奮した面持ちで国王に近づいていった。そして「一緒に写真を撮ってもいいですか」と聞いているようである。

国王は満面の笑みを浮かべながら立ち上がった。そのグループとの写真撮影が終わると、今度は別の女性グループが現れ、やはり写真撮影。国王は休憩中、いくつもの女性グループとの写真撮影に応じて、立ったり座ったりしていた。その間ずっと笑みを絶やさず、楽しそうに見える。観客席の一番後に立つ数名の国王のボディガードは、ただ平然と見守るばかりである。どうやら国王から「緊急事態発生の時のみ対応せよ」と言われているに相違ない。国王の屈託のない笑みと、謙虚な姿勢を間近に見て、私は国王の大ファンになった。

お会いしたフセイン国王は柔和なお顔が印象的であったが、政治の世界ではそんなお顔とはかけ離れたしたたかな外交戦略で、さまざまな局面を乗り越えてきた。国王が一時はＣＩＡと関係があったというのは公然の秘密であり、妻が元米国人であるのも、親米路線を打ち出す戦略の一環ではなかったかとうわさされた。

フセイン国王は亡くなる直前に、長いあいだ皇太子として国王を支えていた弟のハッサン皇太子ではなく、長男を国王に任命した。それが現在のアブダッラ国王である。アブダッラ国王にとって、この突然の任命はまさに晴天のへきれきだったに相違ない。

私の母国語は、もちろんアラビア語ではない。その私にも、国王就任式のアブダッラ国王の正則アラビア語は[*3]「下手なアラビア語」に聞こえた。

アラビア語には、正則アラビア語と口語アラビア語がある。日常生活では口語アラビア語が使われるが、正式な場では正則アラビア語を使わなければならない。しかし、正則アラビア語は学校教育を通して初めて習得される言語である。王位継承者ではないと思ったアブダッラ国王は、正則アラビア語をあまり重視しなかったのだろう。演説しながら、背中に汗をいっぱいかいたと予想される。

不安を感じさせるスタートであったが、即位後は新たな方針を次々と打ち出し、周囲や国民からの信頼を勝ちとった。一七歳で国王に即位し、その後四七年の長きにわたりヨルダンを治めた前フセイン国王から、長男とはいえ、ダークホース的に登場したアブダッラ国王にバトンタッチされたヨルダンであったが、結果として国王交代による大きな混乱は見られなかった。

*3　正則アラビア語：アラビア語には二種類ある。正則アラビア語と口語アラビア語である。正則アラビア語はコーランで使われているアラビア語であり、書き言葉として使われるが、正式な場やテレビなどでは話し言葉として使われる。正則アラビア語の習得は難しいが、便利な点はアラブ世界のどこに行っても通用することだ。口語アラビア語は話し言葉であり、国や地域によって発音が違ったり単語の意味合いが違ったりする。話し言葉なので、正則アラビア語に比べて習得は容易であり、発音もやさしい。しかし国が違うと、口語アラビア語では意思疎通が難しくなる。

3　経済・難民・ニューノーマル

アブダッラ新国王は就任当初、水戸黄門よろしく身分を隠して街中に出、市井の人々の困った問題を解決したりして、若さとやる気、それに父親とは違うより民主的な政治路線を感じさせた。職のない大量の若者、都会と地方の経済格差といった問題を抱えるなか、国王は意欲を持ってヨルダンのかじ取りを始めていた。

しかし二〇一一年に勃発したシリア内戦により、大量の難民がとつぜんヨルダンに流入してきた。今や、公式発表だけでも六六万人以上のシリア難民を抱えている。

さまざまな危機的状況を乗り越えるため、アブダッラ国王の指揮の下、シリア難民を含めたヨルダンの雇用創出に関する動きが加速すると思われた矢先、*4 今度は新型コロナウイルス感染症がヨルダンを襲った。

二〇二〇年三月二日、一人の感染者が現れたと思いきや、その後は急速に感染が拡大。その結果、大量のシリア難民による財政負担に加え、コロナ感染による経済状況の悪化が社会の安定を脅かす、危機的状況を招いたのである。

長期化する大量のシリア難民への支援が困難となり、ヨルダン政府は二〇一六年から、農業、建設業、製造など、ヨルダン人に人気がない職業に関しては、シリア難民に就労許可を与えている。ただし、低賃金の期間限定の非正規雇用である場合も多い。現在のコロナ禍において最初に解雇されるのは、このようなシリア難民をはじめとする非正規雇用者だった。

ヨルダン政府は、外部団体や個人からの資金的支援を得て、さまざまな形での企業支援、企業の雇用者への賃金支払いの確保、労働者の感染防止策の徹底などに取り組んでいる。いっぽう、非正規雇用のヨルダン人や多くのシリア難民には、いま述べたような支援は届いていない。

＊4　ヨルダンの雇用創出
出典：West Asia-North Africa Institute (2018) *Syrian Refugee Employment Trends in Jordan and Future Perspectives*. http://wanainstitute.org/sites/default/files/publications/Publication_SyrianRefugeeEmploymentTrendsJordan_English.pdf（二〇二一年五月四日閲覧）

このような状況下で、ヨルダン政府は、コロナ禍での経済悪化に不満を持つ国民を抑え込むため、政府批判をするメディア規制を強めたり、批判勢力ともなりかねない教員組合の活動停止を命じたりした。ヨルダン社会の近代化に意欲的だったアブダッラ国王が、ここに至って不安定状況の立て直しに使った手法は、それゆえ強権政治であるとの報道がなされた。[*5]

私はこれを読んで、コロナ禍でヨルダンの政治体質が露呈してしまったと思った。ヨルダンに長く住んだ私の生活感覚からいっても、社会の安定が脅かされそうになったときは、王政の下で強い国家権力を行使するのが、ヨルダンの伝統政治であると思うからである。

シリア難民への支援、及びコロナ感染対策は今後も続く。ヨルダンが果たしてきた中東政治の調整役として、今後も存在感を示していけるかどうかは、これらの国内課題を克服するかどうかにかかっている。ヨルダンはいま、正念場を迎えているのだ。

日本では、ポストコロナにおける「ニューノーマル」についての議論が盛んだ。ではヨルダンに「ニューノーマル」はあるのだろうか。

幾多の危機を、強権政治によって乗り越えてきたヨルダンの住民が願うのは、「ニューノーマル」ではなく「ノーマル」、すなわち安定した経済社会の下、これまで通りの生活に戻ること、ただそれ一点のみではなかろうか。

＊5　ヨルダン報道：川上泰徳「論座　新型コロナから見る中東　感染急拡大のヨルダン政府が陥るディレンマ（9）感染対策を口実にしたメディア、教員への弾圧」『朝日新聞社DIGITAL』二〇二〇年一一月七日
https://webronza.asahi.com/politics/articles/2020110600005.html
（二〇二〇年一一月二〇日閲覧）

おわりに

ヨルダン、さらにはアラブ世界に対して、日本はどのように関わることができるのでしょうか。

日本に住んでいて、アラブ世界からのニュースと言えば紛争やテロなど、平和な日本とは全く異質で、時としてあまりに暴力的だと印象付けるものが多いと思います。私自身、ヨルダンに派遣される前は「アラブはわからないし、怖そうだし、それに女性は生活しにくそうだし」ということで、正直なところ、他の選択肢があるのにあえてアラブを選ぶ必要はないという考えでした。

しかしヨルダン政府から、家族計画と女性のエンパワメントを絡み合わせた、その当時では非常に斬新なプロジェクトの要請が出されたことで、イスラムやアラブについて何の予備知識もないにもかかわらず、現地に赴く決意をしました。

着任してから最初の三カ月は、何をやってもヨルダン人同僚との歯車があわず、首をかしげる毎日でした。考えた末に、ヨルダン人同士の会話や動作をじっくり観察して彼らを理解し、彼らのやり方を尊重するようになったあたりから、関係が面白いように円滑になっていったというのが実情です。

また、保守的と言われる南部の村落に行ったときには、やはり観察眼を鋭くして相手側のルールを学び、それを尊重する姿勢を示しつつ、「女性のエンパワメント」や「家族計画」といった、一見部族の伝統とは食い違うように思えるプロジェクトの活動が村落住民の利益になることを真摯に説得しました。そうすることによって、相手側から理解も信頼も得ることができるようになったのです。

よそ者を警戒する土地柄ですからこちらも誠心誠意対応する気持ちを示すことは必要ですが、部族の色彩が強い地域にいても通じ合うもの、そしてアジア人同士として共感しあうものもあり、じつは思ったほど異質な世界でもなかったというのが、私の率直な感想です。

また、日本人は異質と感じているアラブ世界であっても、アラブの方々の日本や日本人を見る目は親密感にあふれ、好意的です。一つには、日本はアラブ諸国を支配した歴史を持っていませんし、アラブ内の政治紛争にも巻き込まれていません。また、日本は第二次世界大戦に大国米国を相手に戦った「勇気ある国」であり、おまけにこの戦争に負けたにもかかわらず、急激な復興を遂げた発展のシンボルともいえる国だと思っています。性能の良い日本製品を見て、日本人の優秀さや勤勉さをイメージしているとも思います。要するに、アラブは日本を信頼できるアジアの友人と見ているのです。

このようなアラブの国々や人々は、日本にとっては大事な友人であり、今後より緊密な関係を結んでいくべき地域だと私は考えます。

さらに現在、ヨルダンだけでなく、アラブ諸国が直面している若者年齢層の増加は、日本では数十年前に発生し、日本はその「人口ボーナス」期に高度成長を実現した国でもあります。その日本の経験とノウハウは、「人口ボーナス」を生かして国や社会の発展を促す作業を緊急な課題とするアラブ諸国に貢献するものです。またヨルダンをはじめとして、乏しい水資源や国家財政にもかかわらず、大量のシリア難民が流入したシリア周辺諸国の直面する課題は、コロナ禍での切実な対応を含め、国家の基盤を揺るがすほどとなっています。

いま日本がアラブ世界の社会や経済の発展に関わることは、双方の絆をさらに深めるとともに、中東地域の発展や安定のためにも大変重要であると思います。

自分の子供以上に大事に育てたともいえるプロジェクトから離れたときは、何とも言えない寂しさを感じたものです。だが今はヨルダンを再訪することで、かつての同僚とのリユニオンを楽しみながら、第二の故郷ともいえるヨルダンとのつながりを絶やさないようにしています。現在はコロナ禍でヨルダンの地に足を踏み入れることはできませんが、私は再訪できる日を心待ちにしています。

＊本書は、有料デジタルサイトであるAstandの「Asahi中東マガジン」(二〇一五年一月末日終了)に、二〇一二年二月二七日から同四月二四日まで九回、および二〇一四年三月一一日から四月八日まで五回連載された記事に加筆修正し、かつ二〇二〇年のヨルダン再訪について新たに書き下ろした記事を加え、再構成したものです。文中の年齢、ヨルダンディナールおよびシリアポンドの日本円換算などは、執筆当時のものです。

あとがき

ヨルダンに初めて着任したときは、よもやこの地に一〇年以上も滞在するとは想像さえしませんでした。しかし、いったんプロジェクトを開始すると面白さにはまり、二〇一一年秋にプロジェクトが終了する最後の最後まで、この地にとどまる道を選択しました。

その面白さとは何といっても、こちらが教えながらともに活動するプロジェクトの現地カウンターパート（協力者・同僚）の存在です。彼らの目に見える成長に、専門家としての醍醐味を感じました。ヨルダンのカウンターパートは学ぶことに熱心で、これに大いに触発され、プロジェクトへの関わりに夢中になっていったのです。

あまり目立った産業もない小国ヨルダンで良い職を得るには、教育や研修が大きな意味を持っているからでしょうか。カウンターパートのなかには、一緒に出張などすると、われわれ日本人専門家の几帳面さをまねて、分単位の日程表を立ててくれる者まで現れたくらいです。

同時に、与えるばかりではなく、私自身がカウンターパートを初めとしたアラブの方々から多くを学ぶことができたことも、当地での活動に夢中になった理由です。家族を大切にする、両親を敬う、人間関係を大事にする、そしてゆとりある生活を楽しむといった、私が子ども時代には当たり前であったようなことを今さらながら大切なものと再認識し、このアラブの地で再び成長することができました。彼らに深く感謝いたします。

仕事面では活動地域が保守的なヨルダンの南部地方ということもあり、住民やプロジェクト関係者の懐に入り込むには、洞察、気配り、情熱の三つが大きな役割を果たしました。

当時、朝日新聞の中東専門記者で「Asahi中東マガジン」をWebで発行していた川上泰徳氏は、これらが発揮されるプロセスを記録するよう私に強く勧めてくださいました。その結果、この本の屋台骨となる記事をマガジンに投稿しました。プロジェクトに活動成果が求められるのは常ですが、そこに至るプロセスは、当たり前のこととして記録に残らない場合がほとんどです。このプロセスに意味づけをし、私の心の奥底に沈みつつあったアラブの体験を、引っ張りだすきっかけを与えてくださったのが川上氏です。この場を借りて、川上氏に心より感謝申し上げる次第です。

また、一一年の長きにわたって、一貫してプロジェクトの円滑な実施に力を尽くしてくださった国際協力機構に深く謝意を表します。とくにＪＩＣＡヨルダン事務所の皆様にはたくさんのきめ細かなご支援をいただきました。心より厚く御礼申し上げます。

最後になりましたが、今回、本書の執筆を勧めてくださった名古屋外国語大学出版会に感謝いたします。最初にお声がけしてくださった亀山郁夫学長に心より御礼申し上げます。また単なる回顧録にならないよう、様々な示唆を与えてくださったのみならず、日常業務で執筆が進まない私を気遣い、常に勇気づけてくださった川端博編集主任に心より感謝の意を表す次第です。そして、原稿が本になるプロセスで貴重なご助言をくださった大岩昌子編集長、まことにありがとうございました。

今ヨルダンは、シリア難民問題に加えて、まん延する新型コロナウイルス感染症対策で困難な道を歩んでいます。この困難をいつものように乗り越えてほしいと切に願いつつ。

二〇二一年九月一日

新型コロナウイルス感染症による緊急事態宣言下の東京にて

佐藤　都喜子

名古屋外大ワークス……NUFS WORKS

発刊にあたって「深く豊かな生き方のために」

今ほど「知」の求められる時代はあるまい。これから学ぼうとする若者や、社会に出て活躍する人々はもちろん、より良く生き、深く豊かに生を味わうためにも、「知」はぜったいに欠かせないものだ。考える力は考えることからしか生まれないように、考えることをやめた人間は「知」を失い、ただ時代に流されて生きることになる。ここに生まれたブックレットのシリーズは、グローバルな人間の育成をめざす名古屋外国語大学の英知を結集し、わかりやすく、遠くまでとどく、考える力にあふれた「知」を伝えるためにつくられた。若いフレキシブルな研究から、教育者としての到達点、そして歴史を掘りぬく鋭い視点まで、さまざまなかたちの「知」が展開される。まさに、東と西の、北と南の、そして過去と未来の、新しい交差点となる。さあ、ここに立ってみよう！

名古屋外国語大学出版会

現代ヨルダン・レポート

アラブの女性たちが語る 慣習・貧困・難民

名古屋外大ワークス……NUFS WORKS 6

2021年9月25日　初版第1刷発行

著者　佐藤 都喜子

発行者　亀山郁夫

発行所　名古屋外国語大学出版会

470-0197　愛知県日進市岩崎町竹ノ山57番地

電話　0561-74-1111（代表）

https://nufs-up.jp

本文デザイン・組版・印刷・製本　株式会社荒川印刷

ISBN 978-4-908523-32-8

牧畜を人文学する

シンジルト・地田徹朗編著　ブックレット版「名古屋外大ワークス5」
A5判・250ページ●定価2,200円（税込）

ユーラシアからアフリカまで、世界の牧畜の今がわかる本。人間と家畜と草原の共生、牧畜と牧畜社会の在り方を、日本のえりすぐりの研究者が描き出した。近代国家や新自由主義、グローバリズムの行き詰まり、コロナ禍など、閉塞状況にある世界への大いなるヒントとアイデアに満ちている。12名の執筆者は、文化論、社会人類学、歴史学の研究に携わる。狭い研究領域に閉じこもることなく、様々な角度から牧畜社会の現状と歴史を描く。高校生にも読めるわかりやすさ。現地取材にもとづく具体的な「ルポルタージュ」も魅力。人類学、環境論、比較文化、地域研究の教科書にも好適で、高校生、大学生、さらには広く、ユーラシアやアフリカの社会・文化・歴史に興味をもつ一般読者にもおすすめ。牧畜民にスマホが似合う理由を知りたい人に!?

世界は映画でできている

石田聖子・白井史人編　Artes MUNDI叢書
A5判・340ページ●定価2,200円（税込）

あなたと地球を救う映画が、きっとここにある！

映画は誕生のときから〈世界へ開いた窓〉と呼ばれていました。彼方にある世界を覗き見るためのツールとして、重宝されてきたのです……。この本でとりあげた国・地域は、南北アメリカから、ヨーロッパ、アジアまで広範囲に及びます。映画はハリウッドだけでなく、それぞれの国・地域の特性と混ざり合い、独自の文化を発展させていきました。そんな世界の映画文化に触れられるのも、本書の魅力。

世界文学の小宇宙1　欧米・ロシア編
悪魔にもらった眼鏡

亀山郁夫・野谷文昭編訳　Artes MUNDI叢書
四六判・400ページ●定価2,200円（税込）

6つの言語で書かれた12の物語……。亀山郁夫（ロシア文学）と野谷文昭（スペイン語圏文学）、奇跡のコラボレーションが生んだ、悦楽の文学館。W．コリンズ、H．ジェイムズ、ザヴァッティーニの初訳を初め、ヴィリエ・ドゥ・リラダン、チェーホフ、リルケ、K．ショパン、メリメ、ベッケル、P．ジョンソン、ドーデ、ビリニャークの名作たち。あなたも不思議な眼鏡で、魅力的な幻視の世界を覗いてみませんか。登場するのは、人間・動物・悪魔・女神・妖精……？

まちづくり心理学

城月雅大編著／園田美保・大槻知史・呉宣児著
ブックレット版「名古屋外大ワークス4」
A5判・200ページ●定価1,870円（税込）

まちや都市に関心のある人、まちづくり、むらおこしの難問にかかわる人、少しでも良いまちにしたい、住みたいと願う人のために……。まちづくりの研究者と環境心理学者が考える、理論的・実践的地域再生のエッセンス、住民の心を育む理論と方法。「愛着」「原風景」「いごこち」「風の人」などのキーワードや図表を駆使し、過疎・高齢化・シャッター街等、全国で地滑り的に起きている現象に挑む。編著者の城月雅大氏（名古屋外国語大学准教授）ら4名は、政策と環境心理学の研究者からなる新進気鋭の集団。

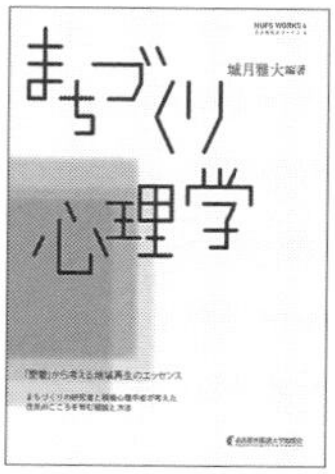

食と文化の世界地図

佐原秋生・大岩昌子著　名古屋外大新書 01
新書判・230ページ●定価1，320円（税込）

世界を14等分したら見えてきた、新しい地球の姿！　日本、東南アジア、ヨーロッパ、アフリカ、南北アメリカなど、どこでどんな「食」が生まれ、育ち、交流してきたのか。人間に直結する食べ物・食べ方がコンパクトにまとめられた、画期的な「食文化地理学」の誕生。各地の代表的な料理のほか、文学、音楽、政治、ジェンダーなどの「食べるコラム」も充実。著者の佐原秋生氏は、料理評論家の第一人者として活躍中（名古屋外国語大学名誉教授）。料理・レストラン関係の著作多数。大岩昌子氏（名古屋外国語大学教授）は、「世界の食文化」講座を担当、チーズをはじめとする世界の食、フランス語、フランス文化関連の著作、翻訳、論文多数。

世界教養72のレシピ

名古屋外国語大学編　名古屋外大新書
新書判・240ページ●定価1，320円（税込）

自分を新発見するメニューがここにあります！　世界は一つではなく、無数の文化からなっている、世界をその多様性・多元性のなかで考えること――。名古屋外国語大学（亀山郁夫学長・ロシア文学者）が構築した「世界教養プログラム」は、こうした考え方に重点を置く「教養知（人文、学際、社会）」の体系講座です。外国語、アート、国際政治、音楽、文学、ポップカルチャー、ネット社会、アニメなど、あなたの人生を豊かにしてくれる、教養カタログとして読んでいただければ幸いです。可能性を開くための72の扉が開きます。

NUFS英語教育シリーズ

英語が好きな子供を育てる 魔法のタスク　～小学校英語のために～

佐藤一嘉・矢後智子編著　B5判・120ページ●定価2，750円（税込）

2020年度から実施される次期学習指導要領では、小学校の英語が拡充されます。それに先立ち、文部科学省は、18年度からの2年間を「移行期間」と位置づけ、英語の授業を前倒しで増やすと発表しました。いよいよ小学校英語の時代が始まります！

本書は、外国語大学ならではの画期的なメソッドを生かしたタスク集です。授業の導入にさきがけ、教員だけでなく、さまざまな英語インストラクターにも貴重なテキストとなるものです。すぐに使えます！（小学校5・6年生向け）

目次

NUFS英語教育シリーズ
英語コアカリキュラム対応

英語の諸相 ―音声・歴史・現状―

川原功司著　A5判・240ページ●定価1,320円（税込）

英語教員免許の取得をめざす人など、英語コアカリキュラムにおける「英語学」学習のための最適なテキスト。音声学、音韻論、発音記号……軽視される風潮にあった英語の「音」の基礎部分を理解し、手軽に学ぶために。英語の音声の仕組みを理解し、その知識を使って英語の歴史や現状について学び、その過程で英文法の知識を深める。さらにアメリカ英語とイギリス英語、英語は世界の共通語か、等のアクチュアルな課題にもふれる。

本書の目次から……第1章・音声学／第2章・音韻論／第3章・英語の歴史／第4章・世界の中での英語／第5章・英語にまつわるエトセトラ

言語の構造　人間の言葉と動物のコトバ

川原功司著　A5判・318ページ●定価6,930円（税込）

「言語とは何か」という究極の問いに挑む、気鋭の研究書が登場。人間にとって言葉はあたりまえだが、では動物は言語を話せるのだろうか……。興味ぶかくユニークなこの問題を手掛かりに、言語学や認知生物学などの最新の成果を駆使し、言語とは何かについて考察。また、言語の構造に関する形式的アプローチの教科書でもあり、とくに統辞論のテキストとしても使用できる。言語／言葉について考えるための画期的な本。

第二外国語で学ぶ

アラビア語入門

松山洋平著　B5判・170ページ●定価3,080円（税込）

アラビア語はよく、「文字が難しそうだ」というイメージを持たれます。確かに、右から左に向けて書かれる「ミミズが這ったような」文字は、多くの日本人にとってはなじみがありません。しかし、アラビア語の文字の数は三十に満たない程度で、基本的にすべて表音文字。集中して取り組めば、一週間で読み書きができるようになります。発音も他言語より難しいということはありません。じつは、アラビア語を習得するのは意外と簡単なのです。

アボリジニであること

濱嶋　聡著　ブックレット版「名古屋外大ワークス3」
A5判・120ページ●定価1,320円（税込）

先住民族、少数民族の文化・歴史・言葉がわれわれに伝えるメッセージ。

衝撃の学術ドキュメント！

《オーストラリアの先住民族「アボリジニ」をご存知ですか？》

わずか130年で人口が4分の1に激減した彼らに、いったい何が起こったのか。数百も存在したオリジナルな言語は、つぎつぎに消滅、文化や教育までが「同化政策」のもとに奪われていった。

10年以上に及ぶ現地調査をふまえ、アボリジニ、さらにトレス海峡諸島民のたどった激烈な歴史、現状をレポート。